KB076640

한자 기초

1권

한자 기초 1권

발 행 | 2024년 02월 16일
저 자 | 서홍경
펴낸이 | 한건희
펴낸곳 | 주식회사 부크크
출판사등록 | 2014.07.15.(제2014-16호)
주 소 | 서울특별시 금천구 가산디지털1로 119 SK트윈타워 A동 305호
전 화 | 1670-8316
이메일 | info@bookk.co.kr

ISBN | 979-11-410-7224-7

www.bookk.co.kr

머리말

한자를 기초부터 차근차근 공부할 수 있는 책입니다. 각 한자의 훈(뜻), 음(소리), 부수, 총획수, 자원풀이, 한자 어휘, 한자 쓰기, 사전적 정의(참고문헌 : 국립국어원 표준국어대사전)를 정리했습니다.

'한자 기초' 책은 1권부터 시작하여 2권, 3권 등, 연속 출간할 예정입니다. '가나다' 순으로 한자를 수록하였으며, 한자 기초 1권은 100자를 배정하였습니다. 한자를 직접 쓰면서 익힐 수 있는 공간을 넣었습니다.

1. 한자
2. 훈(뜻)
3. 음(소리)
4. 부수
5. 총획수
6. 자원 풀이
7. 한자 쓰기
8. 한자 어휘
9. 사전적 정의
10. '가나다' 순으로 다음 한자 배열

東
훈(뜻) 음(소리)
동녘 동
부수 木(나무 목)
총 8획
한자 어휘
① 동서남북(東西南北)
② 동해(東海)
③ 동양(東洋)
④ 동편(東便)
⑤ 동풍(東風)
⑥ 동향(東向)
⑦ 동대문(東大門)
동녘 동
*나무에 해가 떠오르는 모양.
東 東 東 東 東
동녘 동 동녘 동 동녘 동 동녘 동 동녘 동
東 東 東 東 東
동녘 동 동녘 동 동녘 동 동녘 동 동녘 동
東 東 東 東
동서남북 동해 동풍 동향
西南北 海 風 向
*동서남북(東西南北) 동쪽, 서쪽, 남쪽, 북쪽이라는 뜻으로, 모든 방향을 이르는 말.
*동해(東海) 동쪽에 있는 바다.
*동풍(東風) 동쪽에서 부는 바람.
*동향(東向) 동쪽으로 향함. 또는 그 방향.

예비 초등학생부터 한자 기초 1권으로 시작하여 초등학생, 중학생, 고등학생에 이르기까지 한자를 차근차근 익힐 수 있는 보람된 책이 되었으면 좋겠습니다.

2024. 2.
편저자 씀

차례

1권

100字

번호 한자

1권

100字

번호 한자

51夕, 52小, 53水, 54手, 55市,
56示, 57身, 58心, 59十, 60兒,
61羊, 62魚, 63言, 64五, 65午,
66玉, 67王, 68外, 69雨, 70牛,
71元, 72月, 73有, 74由, 75肉,
76衣, 77二, 78人, 79一, 80日,
81子, 82自, 83長, 84田, 85弟,
86足, 87主, 88中, 89車, 90天,
91川, 92千, 93七, 94太, 95土,
96八, 97風, 98下, 99兄, 100火.

한자 기초

1권

100字

한자 기초

1권

見	훈(뜻)	음(소리)	한자 어휘
	볼	견	① 발견(發見) ② 견해(見解) ③ 의견(意見) ④ 견학(見學) ⑤ 편견(偏見) ⑥ 예견(豫見) ⑦ 견문(見聞)
	부수 見(볼 견)		
	총 7획		
볼 견	*사람이 눈으로 보고 있는 모습.		

見	見	見	見	見
볼 견	볼 견	볼 견	볼 견	볼 견
見	見	見	見	見
볼 견	볼 견	볼 견	볼 견	볼 견

見	見	見	見					

발	견	의	견	견	학	편	견	견	문
發		意			學	偏			聞

*발견(發見) 미처 찾아내지 못하였거나 아직 알려지지 아니한 사물이나 현상, 사실 따위를 찾아냄.	*의견(意見) 어떤 대상에 대하여 가지는 생각.	*견학(見學) 실지로 보고 그 일에 관한 구체적인 지식을 넓힘.	*편견(偏見) 공정하지 못하고 한쪽으로 치우친 생각.	*견문(見聞) 보거나 듣거나 하여 깨달아 얻은 지식.

古	훈(뜻)	음(소리)	한자 어휘
	예	고	① 고목(古木) ② 고서(古書) ③ 고대(古代) ④ 고전(古典) ⑤ 고궁(古宮) ⑥ 고물(古物) ⑦ 고고학(考古學)
	부수 口(입 구)		
	총 5획		
예 고	*여러(十) 사람의 입(口)으로부터 전해온다는 뜻.		

古	古	古	古	古
예 고	예 고	예 고	예 고	예 고
古	古	古	古	古
예 고	예 고	예 고	예 고	예 고

古	古	古	古					

고	목	고	서	고	대	고	전	고	궁
	木		書		代		典		宮

*고목(古木) 주로 키가 큰 나무로, 여러 해 자라 더 크지 않을 정도로 오래된 나무.	*고서(古書) 아주 오래전에 간행된 책.	*고대(古代) 옛 시대.	*고전(古典) 옛날의 서적이나 작품.	*고궁(古宮) 옛 궁궐.

高	훈(뜻)	음(소리)	한자 어휘
	높을	고	① 고온(高溫) ② 고속(高速) ③ 고급(高級) ④ 고가(高價) ⑤ 고열(高熱) ⑥ 고층(高層) ⑦ 고등학교(高等學校)
	부수 高(높을 고)		
	총 10획		
높을 고	*성문 위에 높이 세운 망루 모양.		

高	高	高	高	高
높을 고	높을 고	높을 고	높을 고	높을 고
高	高	高	高	高
높을 고	높을 고	높을 고	높을 고	높을 고

高	高	高	高					

고	온	고	속	고	급	고	등	학	교
	溫		速		級		等	學	校

*고온(高溫) 높은 온도.	*고속(高速) 매우 빠른 속도.	*고급(高級) 물건이나 시설 따위의 품질이 뛰어나고 값이 비쌈.	*고등학교(高等學校) 중학교를 졸업한 사람에게 고등 보통 교육과 실업 교육을 실시하는 학교.

工	훈(뜻)	음(소리)	한자 어휘
	장인	공	① 공사(工事) ② 공장(工場) ③ 인공(人工) ④ 가공(加工) ⑤ 공업(工業) ⑥ 공학(工學) ⑦ 공부(工夫)
	부수 工(장인 공)		
	총 3획		
장인 공	*도구의 모양.		

工	工	工	工	工
장인 공	장인 공	장인 공	장인 공	장인 공
工	工	工	工	工
장인 공	장인 공	장인 공	장인 공	장인 공

工	工	工	工					

공	사	공	장	인	공	공	업	공	부
	事		場	人			業		夫

*공사(工事) 토목이나 건축 따위의 일.	*공장(工場) 원료나 재료를 가공하여 물건을 만들어 내는 설비를 갖춘 곳.	*인공(人工) 사람의 힘으로 자연에 대하여 가공하거나 작용을 하는 일.	*공업(工業) 원료를 인력이나 기계력으로 가공하여 유용한 물자를 만드는 산업.	*공부(工夫) 학문이나 기술을 배우고 익힘.

果	훈(뜻)	음(소리)	한자 어휘
	실과	과	① 실과(實果) ② 과수원(果樹園) ③ 청과물(青果物) ④ 결과(結果) ⑤ 효과(效果) ⑥ 인과(因果) ⑦ 성과(成果)
	부수 木(나무 목)		
	총 8획		
실과 과	*나무에 열린 열매 모양.		

果	果	果	果	果
실과 과	실과 과	실과 과	실과 과	실과 과
果	果	果	果	果
실과 과	실과 과	실과 과	실과 과	실과 과

果

果	果	果					

실	과	결	과	효	과	인	과	성	과
實		結		效		因		成	

*실과(實果)	*결과(結果)	*효과(效果)	*인과(因果)	*성과(成果)
나무 따위를 가꾸어 얻는, 사람이 먹을 수 있는 열매.	열매를 맺음. 어떤 원인으로 결말이 생김.	어떤 목적을 지닌 행위에 의하여 드러나는 보람이나 좋은 결과.	원인과 결과를 아울러 이르는 말.	이루어 낸 결실.

光	훈(뜻)	음(소리)	한자 어휘
	빛	광	① 월광(月光) ② 광선(光線) ③ 광채(光彩) ④ 야광(夜光) ⑤ 광합성(光合成) ⑥ 광경(光景) ⑦ 관광(觀光)
	부수 儿(어진사람 인)		
	총 6획		
빛 광	*사람(儿)이 불(火)을 들고 있는 모습에서 빛을 뜻함.		

光	光	光	光	光
빛 광	빛 광	빛 광	빛 광	빛 광
光	光	光	光	光
빛 광	빛 광	빛 광	빛 광	빛 광

光	光	光	光					

월	광	광	선	야	광	광	경	관	광
月			線	夜			景	觀	

*월광(月光) 달에서 비쳐 오는 빛. 달빛.	*광선(光線) 빛의 줄기.	*야광(夜光) 어둠 속에서 빛을 냄. 또는 그런 물건.	*광경(光景) 벌어진 일의 형편과 모양.	*관광(觀光) 다른 지방이나 다른 나라에 가서 그곳의 풍경, 풍습, 문물 따위를 구경함.

交	훈(뜻)	음(소리)	한자 어휘
	사귈	교	① 외교(外交) ② 국교(國交) ③ 교우(交友) ④ 교통(交通) ⑤ 교차로(交叉路) ⑥ 교환(交換) ⑦ 교대(交代)
	부수 亠(두, 돼지해 머리)		
	총 6획		
사귈 교	*사람의 다리가 교차된 모양.		

交	交	交	交	交
사귈 교	사귈 교	사귈 교	사귈 교	사귈 교
交	交	交	交	交
사귈 교	사귈 교	사귈 교	사귈 교	사귈 교

交	交	交	交					

외	교	국	교	교	우	교	통	교	대
外		國			友		通		代

*외교(外交) 다른 나라와 정치적, 경제적, 문화적 관계를 맺는 일.	*국교(國交) 나라와 나라 사이에 맺는 외교 관계.	*교우(交友) 벗을 사귐. 또는 그 벗.	*교통(交通) 자동차, 기차, 배, 비행기 따위를 이용하여 사람이 오고 가거나, 짐을 실어 나르는 일.	*교대(交代) 어떤 일을 여럿이 나누어서 차례에 따라 맡아 함.

口	훈(뜻)	음(소리)	한자 어휘
	입	구	① 식구(食口) ② 가구(家口) ③ 인구(人口) ④ 입구(入口) ⑤ 출구(出口) ⑥ 구호(口號) ⑦ 구령(口令)
	부수 口(입 구)		
	총 3획		
입 구	*사람의 입 모양.		

口	口	口	口	口
입 구	입 구	입 구	입 구	입 구
口	口	口	口	口
입 구	입 구	입 구	입 구	입 구

口 口 口 口

식	구	가	구	인	구	입	구	출	구
食		家		人		入		出	

*식구(食口) 한집에서 함께 살면서 끼니를 같이하는 사람.	*가구(家口) 현실적으로 주거 및 생계를 같이하는 사람의 집단.	*인구(人口) 일정한 지역에 사는 사람의 수.	*입구(入口) 들어가는 통로.	*출구(出口) 밖으로 나갈 수 있는 통로.

九	훈(뜻)	음(소리)	한자 어휘
	아홉	구	① 구십(九十) ② 구월(九月) ③ 구일(九日) ④ 칠팔(七八) ⑤ 구구단(九九段) ⑥ 구미호(九尾狐) ⑦ 십중팔구 (十中八九)
	부수 乙(새 을)		
	총 2획		
아홉 구	*'아홉'의 뜻.		

九	九	九	九	九
아홉 구	아홉 구	아홉 구	아홉 구	아홉 구
九	九	九	九	九
아홉 구	아홉 구	아홉 구	아홉 구	아홉 구

九	九	九	九					

구	십	구	구	단	구	월	구	미	호
	十			段		月		尾	狐

*구십(九十) 십의 아홉 배가 되는 수.	*구구단(九九段) 구구법을 일상적으로 이르는 말.	*구월(九月) 한 해 열두 달 가운데 아홉째 달.	*구미호(九尾狐) 꼬리가 아홉 개 달린 여우.

今	훈(뜻)	음(소리)	한자 어휘
	이제	금	① 지금(只今) ② 금방(今方) ③ 금일(今日) ④ 금년(今年) ⑤ 금주(今週) ⑥ 금세기(今世紀) ⑦ 동서고금 (東西古今)
	부수 人(사람 인)		
	총 4획		
이제 금	*사람(人)이 일하고 있는 모습. '지금'의 뜻.		

今 今 今 今 今

이제 금 이제 금 이제 금 이제 금 이제 금

今 今 今 今 今

이제 금 이제 금 이제 금 이제 금 이제 금

今 今 今 今

지	금	금	방	금	일	금	년	금	주
只			方		日		年		週

*지금(只今) 말하는 바로 이때.	*금방(今方) 말하고 있는 시점보다 바로 조금 전에.	*금일(今日) 지금 지나가고 있는 이날.	*금년(今年) 지금 지나가고 있는 이해.	*금주(今週) 이번 주일.

金	훈(뜻)	음(소리)	한자 어휘
	쇠	금	① 황금(黃金) ② 현금(現金) ③ 금고(金庫) ④ 예금(預金) ⑤ 상금(賞金) ⑥ 세금(稅金) ⑦ 금은(金銀)
	부수 金(쇠 금)		
	총 8획		
쇠 금	*거푸집과 쇠붙이 두 개의 모양을 나타낸 글자.		

金	金	金	金	金
쇠 금	쇠 금	쇠 금	쇠 금	쇠 금
金	金	金	金	金
쇠 금	쇠 금	쇠 금	쇠 금	쇠 금

金	金	金	金					

황	금	현	금	상	금	세	금	금	은
黃		現		賞		稅			銀

*황금(黃金) 누런빛의 금.	*현금(現金) 현재 가지고 있는 돈.	*상금(賞金) 선행이나 업적에 대하여 격려하기 위하여 주는 돈.	*세금(稅金) 국가 또는 지방 공공 단체가 필요한 경비로 사용하기 위하여 국민이나 주민으로부터 강제로 거두어들이는 금전.	*금은(金銀) 금과 은을 아울러 이르는 말.

己	훈(뜻)	음(소리)	한자 어휘
	몸	기	① 자기(自己) ② 자기애(自己愛) ③ 수기(修己) ④ 이기심(利己心) ⑤ 율기(律己) ⑥ 극기(克己) ⑦ 지피지기(知彼知己)
	부수 己(몸 기)		
	총 3획		
몸 기	*실을 둘둘만 모양. '자신'의 뜻.		

己	己	己	己	己
몸 기	몸 기	몸 기	몸 기	몸 기
己	己	己	己	己
몸 기	몸 기	몸 기	몸 기	몸 기

己	己	己	己					

자	기	자	기	애	이	기	심	극	기
自		自		愛	利		心	克	

*자기(自己) 그 사람 자신.	*자기애(自己愛) 자기의 가치를 높이고 싶은 욕망에서 생기는, 자기에 대한 사랑.	*이기심(利己心) 자기 자신의 이익만을 꾀하는 마음.	*극기(克己) 자기의 감정이나 욕심, 충동 따위를 이성적 의지로 눌러 이김.

南	훈(뜻)	음(소리)	한자 어휘
	남녘	남	① 남북(南北) ② 남방(南方) ③ 남향(南向) ④ 남풍(南風) ⑤ 남극(南極) ⑥ 남대문(南大門) ⑦ 남해안(南海岸)
	부수 十(열 십)		
	총 9획		
남녘 남	*남쪽 방향.		

南	南	南	南	南
남녘 남	남녘 남	남녘 남	남녘 남	남녘 남
南	南	南	南	南
남녘 남	남녘 남	남녘 남	남녘 남	남녘 남

南	南	南	南					

남	북	남	방	남	향	남	풍	남	극
	北		方		向		風		極

*남북(南北)	*남방(南方)	*남향(南向)	*남풍(南風)	*남극(南極)
남쪽과 북쪽을 아울러 이르는 말.	네 방위의 하나. 남쪽 지방.	남쪽으로 향함. 또는 그 방향.	남쪽에서 불어오는 바람.	지축의 남쪽 끝.

男	훈(뜻)	음(소리)	한자 어휘
	사내	남	① 남녀(男女) ② 남자(男子) ③ 남성(男性) ④ 남학생(男學生) ⑤ 남편(男便) ⑥ 남매(男妹) ⑦ 남녀노소(男女老少)
	부수 田(밭 전)		
	총 7획		
사내 남	*논밭(田)에서 힘(力)을 써서 일하는 사람.		

男	男	男	男	男
사내 남	사내 남	사내 남	사내 남	사내 남
男	男	男	男	男
사내 남	사내 남	사내 남	사내 남	사내 남

男	男	男	男					

남	녀	남	자	남	성	남	편	남	매
	女		子		性		便		妹

*남녀(男女) 남자와 여자를 아울러 이르는 말.	*남자(男子) 남성으로 태어난 사람.	*남성(男性) 성(性)의 측면에서 남자를 이르는 말.	*남편(男便) 혼인하여 여자의 짝이 된 남자.	*남매(男妹) 오빠와 누이 또는 누나와 남동생을 아울러 이르는 말.

內	훈(뜻)	음(소리)	한자 어휘
	안	내	① 내부(內部) ② 내면(內面) ③ 내외(內外) ④ 국내(國內) ⑤ 실내(室內) ⑥ 교내(校內) ⑦ 내과(內科)
	부수 入(들 입)		
	총 4획		
안 내	*안(冂)으로 들어간다(入)는 뜻.		

內	內	內	內	內
안 내	안 내	안 내	안 내	안 내
內	內	內	內	內
안 내	안 내	안 내	안 내	안 내

內	內	內	內					

내	부	내	면	국	내	교	내	내	과
	部		面	國		校			科

*내부(內部) 안쪽의 부분.	*내면(內面) 물건의 안쪽. 밖으로 드러나지 아니하는 사람의 속마음.	*국내(國內) 나라의 안.	*교내(校內) 학교의 안.	*내과(內科) 내장의 기관에 생긴 병을 외과적 수술에 의하지 않고, 물리 요법이나 약으로 치료하는 의학 분야.

女	훈(뜻)	음(소리)	한자 어휘
	여자	녀	① 여성(女性) ② 여자(女子) ③ 여인(女人) ④ 남녀(男女) ⑤ 자녀(子女) ⑥ 모녀(母女) ⑦ 소녀(少女)
	부수 女(여자 녀)		
	총 3획		
여자 녀	*여자가 앉아있는 모습을 본뜬 글자.		

女	女	女	女	女
여자 녀	여자 녀	여자 녀	여자 녀	여자 녀
女	女	女	女	女
여자 녀	여자 녀	여자 녀	여자 녀	여자 녀

女 — 女 女 女

여	성	여	자	남	녀	자	녀	모	녀
	性		子	男		子		母	

*여성(女性)	*여자(女子)	*남녀(男女)	*자녀(子女)	*모녀(母女)
성의 측면에서 여자를 이르는 말.	여성으로 태어난 사람.	남자와 여자를 아울러 이르는 말.	아들과 딸을 아울러 이르는 말.	어머니와 딸을 아울러 이르는 말.

年

훈(뜻)	음(소리)
해	년

부수 干(방패 간)

총 6획

한자 어휘

① 내년(來年)
② 금년(今年)
③ 작년(昨年)
④ 학년(學年)
⑤ 소년(少年)
⑥ 청년(靑年)
⑦ 연령(年齡)

해 년

*곡식 벼(禾)가 익어서 한 해가 지나감을 뜻함.

年	年	年	年	年
해 년	해 년	해 년	해 년	해 년
年	年	年	年	年
해 년	해 년	해 년	해 년	해 년

年

年	年	年					

내	년	금	년	작	년	학	년	소	년
來		今		昨		學		少	

*내년(來年) 올해의 바로 다음 해.	*금년(今年) 지금 지나가고 있는 이해. =올해.	*작년(昨年) 이해의 바로 앞의 해. =지난해.	*학년(學年) 일 년간의 학습 과정의 단위.	*소년(少年) 아직 완전히 성숙하지 아니한 어린 사내아이.

大	훈(뜻)	음(소리)	한자 어휘
	큰	대	① 대문(大門) ② 거대(巨大) ③ 대학(大學) ④ 대회(大會) ⑤ 대상(大賞) ⑥ 최대(最大) ⑦ 대중소(大中小)
	부수 大(큰 대)		
	총 3획		
큰 대	*사람이 양팔을 벌리고 서 있는 모양.		

大	大	大	大	大
큰 대	큰 대	큰 대	큰 대	큰 대
大	大	大	大	大
큰 대	큰 대	큰 대	큰 대	큰 대

大	大	大	大					

대	문	거	대	대	학	대	상	최	대
	門	巨			學		賞	最	

*대문(大門) 큰 문. 주로, 한 집의 주가 되는 출입문을 이른다.	*거대(巨大) 엄청나게 큼.	*대학(大學) 고등 교육을 베푸는 교육 기관.	*대상(大賞) 여러 가지 상 가운데 가장 큰 상.	*최대(最大) 수나 양, 정도 따위가 가장 큼.

東	훈(뜻)	음(소리)	한자 어휘
	동녘	동	① 동서남북(東西南北) ② 동해(東海) ③ 동양(東洋) ④ 동편(東便) ⑤ 동풍(東風) ⑥ 동향(東向) ⑦ 동대문(東大門)
	부수 木(나무 목)		
	총 8획		
동녘 동	*나무에 해가 떠오르는 모양.		

東	東	東	東	東
동녘 동	동녘 동	동녘 동	동녘 동	동녘 동
東	東	東	東	東
동녘 동	동녘 동	동녘 동	동녘 동	동녘 동

東	東	東	東					

동	서	남	북	동	해	동	풍	동	향
	西	南	北		海		風		向

*동서남북(東西南北)	*동해(東海)	*동풍(同風)	*동향(東向)
동쪽, 서쪽, 남쪽, 북쪽이라는 뜻으로, 모든 방향을 이르는 말.	동쪽에 있는 바다.	동쪽에서 부는 바람.	동쪽으로 향함. 또는 그 방향.

力	훈(뜻)	음(소리)	한자 어휘
	힘	력	① 능력(能力) ② 노력(努力) ③ 실력(實力) ④ 권력(權力) ⑤ 협력(協力) ⑥ 체력(體力) ⑦ 효력(效力)
	부수 力(힘 력)		
	총 2획		
힘 력	*팔의 근육 모양.		

力	力	力	力	力
힘 력	힘 력	힘 력	힘 력	힘 력
力	力	力	力	力
힘 력	힘 력	힘 력	힘 력	힘 력

力	力	力	力					

능	력	노	력	실	력	협	력	체	력
能		努		實		協		體	

*능력(能力) 일을 감당해 낼 수 있는 힘.	*노력(努力) 목적을 이루기 위하여 몸과 마음을 다하여 애를 씀.	*실력(實力) 실제로 갖추고 있는 힘이나 능력.	*협력(協力) 힘을 합하여 서로 도움.	*체력(體力) 육체적 활동을 할 수 있는 몸의 힘.

令	훈(뜻)	음(소리)	한자 어휘
	명령	령	① 명령(命令) ② 발령(發令) ③ 법령(法令) ④ 구령(口令) ⑤ 영장(令狀) ⑥ 시행령(施行令) ⑦ 금지령(禁止令)
	부수 人(사람 인)		
	총 5획		
명령 령	*사람들(人)을 한(一)곳에 모아놓고 무릎(卩)을 꿇게 하고 명령한다는 뜻을 나타냄.		

令	令	令	令	令
명령 령	명령 령	명령 령	명령 령	명령 령
令	令	令	令	令
명령 령	명령 령	명령 령	명령 령	명령 령

令	令	令	令					

명	령	발	령	법	령	구	령	영	장
命		發		法		口			狀

*명령(命令)	*발령(發令)	*법령(法令)	*구령(口令)	*영장(令狀)
윗사람이나 상위 조직이 아랫사람이나 하위 조직에 무엇을 하게 함.	명령을 내림. 또는 그 명령. 흔히 직책이나 직위와 관계된 경우를 이른다.	법률과 명령을 아울러 이르는 말.	여러 사람이 일정한 동작을 일제히 취하도록 하기 위하여 지휘자가 말로 내리는 간단한 명령.	명령의 뜻을 기록한 서장.

老	훈(뜻)	음(소리)	한자 어휘
	늙을	로	① 노인(老人) ② 노년(老年) ③ 노후(老後) ④ 노장(老將) ⑤ 노약자(老弱者) ⑥ 원로(元老) ⑦ 남녀노소(男女老少)
	부수 老(늙을 로)		
	총 6획		
늙을 로	*지팡이 짚은 노인의 모습.		

老 老 老 老 老

늙을 로 늙을 로 늙을 로 늙을 로 늙을 로

老 老 老 老 老

늙을 로 늙을 로 늙을 로 늙을 로 늙을 로

老 老 老 老

노	인	노	년	노	후	노	장	원	로
	人		年		後		將	元	

*노인(老人) 나이가 들어 늙은 사람.	*노년(老年) 나이가 들어 늙은 때.	*노후(老後) 늙어진 뒤.	*노장(老將) 늙은 장수.	*원로(元老) 한 가지 일에 오래 종사하여 경험과 공로가 많은 사람.

六	훈(뜻)	음(소리)	한자 어휘
	여섯	륙	① 오륙(五六) ② 육칠(六七) ③ 육십(六十) ④ 육각(六角) ⑤ 육촌(六寸) ⑥ 육순(六旬) ⑦ 육감(六感)
	부수 八(여덟 팔)		
	총 4획		
여섯 륙	*두 손 모두 손가락 세 개를 편 모양.		

六	六	六	六	六
여섯 륙	여섯 륙	여섯 륙	여섯 륙	여섯 륙
六	六	六	六	六
여섯 륙	여섯 륙	여섯 륙	여섯 륙	여섯 륙

六	六	六	六					

오	륙	육	칠	육	십	육	각	육	순
五			七		十		角		旬

*오륙(五六) 수량이 다섯이나 여섯임을 나타내는 말.	*육칠(六七) 수량이 여섯이나 일곱임을 나타내는 말.	*육십(六十) 십의 여섯 배가 되는 수.	*육각(六角) 여섯 개의 각.	*육순(六旬) 예순 살.

立	훈(뜻)	음(소리)	한자 어휘
	설	립	① 자립(自立) ② 성립(成立) ③ 공립(公立) ④ 독립(獨立) ⑤ 입장(立場) ⑥ 대립(對立) ⑦ 입춘(立春)
	부수 立(설 립)		
	총 5획		
설 립	*사람이 서 있는 모양.		

立	立	立	立	立
설 립	설 립	설 립	설 립	설 립
立	立	立	立	立
설 립	설 립	설 립	설 립	설 립

立	立	立	立					

자	립	성	립	공	립	독	립	입	장
自		成		公		獨			場
*자립(自立) 남에게 예속되거나 의지하지 아니하고 스스로 섬.		*성립(成立) 일이나 관계 따위가 제대로 이루어짐.		*공립(公立) 지방 자치 단체가 세워서 운영함. 또는 그런 시설.		*독립(獨立) 다른 것에 예속하거나 의존하지 아니하는 상태로 됨.		*입장(立場) 당면하고 있는 상황.	

馬	훈(뜻)	음(소리)	한자 어휘
	말	마	① 승마(乘馬) ② 마차(馬車) ③ 마부(馬夫) ④ 경마(競馬) ⑤ 백마(白馬) ⑥ 우마(牛馬) ⑦ 출마(出馬)
	부수 馬(말 마)		
	총 10획		
말 마	*말의 모양.		

馬	馬	馬	馬	馬
말 마	말 마	말 마	말 마	말 마
馬	馬	馬	馬	馬
말 마	말 마	말 마	말 마	말 마

馬	馬	馬	馬					

승	마	마	차	마	부	백	마	출	마
乘			車		夫	白		出	

*승마(乘馬) 말을 탐.	*마차(馬車) 말이 끄는 수레.	*마부(馬夫) 말을 부려 마차나 수레를 모는 사람.	*백마(白馬) 털빛이 흰 말.	*출마(出馬) ① 말을 타고 나감. ② 선거에 입후보함. ③ 어떤 일에 나섬.

萬	훈(뜻)	음(소리)	한자 어휘
	일만	만	① 천만(千萬) ② 만물(萬物) ③ 만사(萬事) ④ 만능(萬能) ⑤ 만세(萬歲) ⑥ 만일(萬一) ⑦ 만약(萬若)
	부수 ++, 艸(풀 초)		
	총 13획		
일만 만	*전갈의 모양.		

萬	萬	萬	萬	萬
일만 만	일만 만	일만 만	일만 만	일만 만
萬	萬	萬	萬	萬
일만 만	일만 만	일만 만	일만 만	일만 만

萬	萬	萬	萬					

천	만	만	물	만	사	만	능	만	일
千			物		事		能		一

*천만(千萬) 만의 천 배가 되는 수.	*만물(萬物) 세상의 모든 것.	*만사(萬事) 여러 가지 온갖 일.	*만능(萬能) 모든 일에 다 능통하거나 모든 일을 다 할 수 있음.	*만일(萬一) 혹시 있을지도 모르는 뜻밖의 경우. 만 가운데 하나 정도로 아주 적은 양.

面	훈(뜻)	음(소리)	한자 어휘
	낯	면	① 내면(內面) ② 외면(外面) ③ 표면(表面) ④ 장면(場面) ⑤ 화면(畵面) ⑥ 평면(平面) ⑦ 측면(側面)
	부수 面(낯 면)		
	총 9획		
낯 면	*얼굴의 모양.		

面	面	面	面	面
낯 면	낯 면	낯 면	낯 면	낯 면
面	面	面	面	面
낯 면	낯 면	낯 면	낯 면	낯 면

面	面	面	面					

내	면	외	면	표	면	화	면	평	면
內		外		表		畵		平	

*내면(內面) 밖으로 드러나지 아니하는 사람의 속마음.	*외면(外面) 겉에 있거나 보이는 면. =겉면.	*표면(表面) 사물의 가장 바깥쪽. 또는 가장 윗부분.	*화면(畵面) 그림 따위를 그린 면.	*평면(平面) 평평한 표면.

名	훈(뜻)	음(소리)	한자 어휘
	이름	명	① 성명(姓名) ② 별명(別名) ③ 명단(名單) ④ 익명(匿名) ⑤ 명예(名譽) ⑥ 명언(名言) ⑦ 명품(名品)
	부수 口(입 구)		
	총 6획		
이름 명	*저녁(夕)에는 이름을 불러서(口) 알린다는 뜻.		

名	名	名	名	名
이름 명	이름 명	이름 명	이름 명	이름 명
名	名	名	名	名
이름 명	이름 명	이름 명	이름 명	이름 명

名

名	名	名					

성	명	별	명	명	단	명	언	명	품
姓		別			單		言		品

*성명(姓名) 성과 이름을 아울러 이르는 말.	*별명(別名) 사람의 외모나 성격 따위의 특징을 바탕으로 남들이 지어 부르는 이름.	*명단(名單) 어떤 일에 관련된 사람들의 이름을 적은 표.	*명언(名言) 사리에 맞는 훌륭한 말. 널리 알려진 말.	*명품(名品) 뛰어나거나 이름난 물건. 또는 그런 작품.

母	훈(뜻)	음(소리)	한자 어휘
	어머니	모	① 부모(父母) ② 모녀(母女) ③ 모유(母乳) ④ 산모(産母) ⑤ 모성(母性) ⑥ 모교(母校) ⑦ 모국(母國)
	부수 毋(말 무)		
	총 5획		
어머니 모	*어머니가 자식에게 젖을 먹이는 모습.		

母	母	母	母	母
어머니 모	어머니 모	어머니 모	어머니 모	어머니 모
母	母	母	母	母
어머니 모	어머니 모	어머니 모	어머니 모	어머니 모

母	母	母	母					

부	모	모	녀	모	유	모	성	모	교
父			女		乳		性		校

*부모(父母)	*모녀(母女)	*모유(母乳)	*모성(母性)	*모교(母校)
아버지와 어머니를 아울러 이르는 말.	어머니와 딸을 아울러 이르는 말.	제 어미의 젖.	여성이 어머니로서 가지는 정신적, 육체적 성질. 또는 그런 본능.	자기가 다니거나 졸업한 학교.

毛	훈(뜻)	음(소리)	한자 어휘
	털	모	① 모발(毛髮) ② 모공(毛孔) ③ 체모(體毛) ④ 모근(毛根) ⑤ 탈모(脫毛) ⑥ 모피(毛皮) ⑦ 양모(羊毛)
	부수 毛(털 모)		
	총 4획		
털 모	*털의 모양.		

毛	毛	毛	毛	毛
털 모	털 모	털 모	털 모	털 모
毛	毛	毛	毛	毛
털 모	털 모	털 모	털 모	털 모

毛	毛	毛	毛					

모	발	모	공	체	모	모	피	양	모
	髮		孔	體			皮	羊	

*모발(毛髮) 사람의 머리털.	*모공(毛孔) 털이 나는 작은 구멍. =털구멍	*체모(體毛) '몸털'의 전 용어.	*모피(毛皮) 털이 그대로 붙어 있는 짐승의 가죽.	*양모(羊毛) 양의 털.

木	훈(뜻)	음(소리)	한자 어휘
	나무	목	① 목수(木手) ② 목공(木工) ③ 고목(古木) ④ 묘목(苗木) ⑤ 원목(原木) ⑥ 목재(木材) ⑦ 목요일(木曜日)
	부수 木(나무 목)		
	총 4획		
나무 목	*나무의 모양.		

木	木	木	木	木
나무 목	나무 목	나무 목	나무 목	나무 목
木	木	木	木	木
나무 목	나무 목	나무 목	나무 목	나무 목

木 木 木 木

목	수	목	공	고	목	원	목	목	재
	手		工	古		原			材

*목수(木手) 나무를 다루어 집을 짓거나 가구, 기구 따위를 만드는 일을 직업으로 하는 사람.	*목공(木工) 나무를 다루어서 물건을 만드는 일.	*고목(古木) 여러 해 자라 더 크지 않을 정도로 오래된 나무.	*원목(原木) 베어 낸 그대로 아직 가공하지 아니한 나무.	*목재(木材) 건축이나 가구 따위에 쓰는, 나무로 된 재료.

目	훈(뜻)	음(소리)	한자 어휘
	눈	목	① 이목(耳目) ② 안목(眼目) ③ 주목(注目) ④ 제목(題目) ⑤ 과목(科目) ⑥ 종목(種目) ⑦ 목표(目標)
	부수 目(눈 목)		
	총 5획		
눈 목	*사람의 눈 모양.		

目	目	目	目	目
눈 목	눈 목	눈 목	눈 목	눈 목
目	目	目	目	目
눈 목	눈 목	눈 목	눈 목	눈 목

目	目	目	目					

이	목	안	목	주	목	과	목	목	표
耳		眼		注		科			標

*이목(耳目) 귀와 눈을 아울러 이르는 말. 주의나 관심.	*안목(眼目) 사물을 보고 분별하는 견식.	*주목(注目) 관심을 가지고 주의 깊게 살핌. 또는 그 시선.	*과목(科目) 가르치거나 배워야 할 지식 및 경험의 체계를 세분하여 계통을 세운 영역.	*목표(目標) 어떤 목적을 이루려고 지향하는 실제적 대상으로 삼음.

無

훈(뜻)	음(소리)
없을	무
부수 火(불 화)	
총 12획	

한자 어휘

① 유무(有無)
② 무언(無言)
③ 무조건(無條件)
④ 무한(無限)
⑤ 무선(無線)
⑥ 무시(無視)
⑦ 무관심(無關心)

없을 무

*양손에 새를 들고 춤추는 모습을 나타낸 글자. 나무(林)가 무성한데 불(火)에 타서 없다는 뜻.

無 無 無 無 無

없을 무 없을 무 없을 무 없을 무 없을 무

無 無 無 無 無

없을 무 없을 무 없을 무 없을 무 없을 무

無

無 無 無

유	무	무	언	무	한	무	선	무	시
有			言		限		線		視

*유무(有無) 있음과 없음.

*무언(無言) 말이 없음.

*무한(無限) 수, 양, 공간, 시간 따위에 제한이나 한계가 없음.

*무선(無線) 통신이나 방송을 전선 없이 전파로 함.

*무시(無視) 사물의 존재 의의나 가치를 알아주지 아니함. 사람을 깔보거나 업신여김.

文	훈(뜻)	음(소리)	한자 어휘
	글월	문	① 문자(文字) ② 문화(文化) ③ 문장(文章) ④ 문서(文書) ⑤ 문학(文學) ⑥ 본문(本文) ⑦ 문구(文句)
	부수 文(글월 문)		
	총 4획		
글월 문	*몸에 문신을 한 사람이 서 있는 모습. 사선으로 교차된 무늬를 나타낸 글자.		

文	文	文	文	文
글월 문	글월 문	글월 문	글월 문	글월 문
文	文	文	文	文
글월 문	글월 문	글월 문	글월 문	글월 문

文	文	文	文					

문	자	문	서	문	학	본	문	문	구
	字		書		學	本			句

*문자(文字) 예전부터 전하여 내려오는, 한자로 된 숙어나 성구 또는 문장.	*문서(文書) 글이나 기호 따위로 일정한 의사나 관념 또는 사상을 나타낸 것.	*문학(文學) 사상이나 감정을 언어로 표현한 예술.	*본문(本文) 문서에서 주가 되는 글.	*문구(文句) 글의 구절.

門

훈(뜻)	음(소리)
문	문
부수 門(문 문)	
총 8획	

한자 어휘

① 정문(正門)
② 후문(後門)
③ 대문(大門)
④ 창문(窓門)
⑤ 방문(房門)
⑥ 동문(同門)
⑦ 문호(門戶)

문 문

*문의 모양.

門 門 門 門 門

문 문 문 문 문 문 문 문 문 문

門 門 門 門 門

문 문 문 문 문 문 문 문 문 문

門 門 門 門

정	문	후	문	대	문	동	문	문	호
正		後		大		同			戶

*정문(正門)
건물의 정면에 있는 주가 되는 출입문.

*후문(後門)
뒤나 옆으로 난 문.

*대문(大門)
큰 문. 주로, 한 집의 주가 되는 출입문을 이른다.

*동문(同門)
같은 학교에서 수학하였거나 같은 스승에게서 배운 사람.

*문호(門戶)
외부와 교류하기 위한 통로나 수단을 비유적으로 이르는 말.

民	훈(뜻)	음(소리)	한자 어휘
	백성	민	① 대한민국(大韓民國) ② 민족(民族) ③ 국민(國民) ④ 시민(市民) ⑤ 농민(農民) ⑥ 어민(漁民) ⑦ 민요(民謠)
	부수 氏(성씨 씨)		
	총 5획		
백성 민	* 여러 성씨(氏)가 한(一) 나라의 백성(百姓)이라는 뜻.		

民	民	民	民	民
백성 민	백성 민	백성 민	백성 민	백성 민
民	民	民	民	民
백성 민	백성 민	백성 민	백성 민	백성 민

民	民	民	民					

국	민	시	민	농	민	어	민	민	요
國		市		農		漁			謠

*국민(國民) 국가를 구성하는 사람. 또는 그 나라의 국적을 가진 사람.	*시민(市民) 시(市)에 사는 사람.	*농민(農民) 농사짓는 일을 생업으로 삼는 사람.	*어민(漁民) 물고기 잡는 일을 직업으로 하는 사람.	*민요(民謠) 예로부터 민중 사이에 불려 오던 전통적인 노래를 통틀어 이르는 말.

方	훈(뜻)	음(소리)	한자 어휘
	모	방	① 방향(方向) ② 방위(方位) ③ 방면(方面) ④ 사방팔방 (四方八方) ⑤ 행방(行方) ⑥ 방법(方法) ⑦ 방식(方式)
	부수 方(모 방)		
	총 4획		
모 방	*두 척의 배가 나란히 있는 모양. '방향'의 뜻.		

方	方	方	方	方
모 방	모 방	모 방	모 방	모 방
方	方	方	方	方
모 방	모 방	모 방	모 방	모 방

方	方	方	方					

방	향	방	위	방	면	방	법	방	식
	向		位		面		法		式

*방향(方向) 어떤 방위를 향한 쪽.	*방위(方位) 공간의 어떤 점이나 방향이 한 기준의 방향에 대하여 나타내는 어떠한 쪽의 위치.	*방면(方面) 어떤 장소나 지역이 있는 방향. 또는 그 일대.	*방법(方法) 어떤 일을 해 나가거나 목적을 이루기 위하여 취하는 수단이나 방식.	*방식(方式) 일정한 방법이나 형식.

白	훈(뜻)	음(소리)	한자 어휘
	흰	백	① 흑백(黑白) ② 백호(白虎) ③ 순백(純白) ④ 백옥(白玉) ⑤ 미백(美白) ⑥ 고백(告白) ⑦ 자백(自白)
	부수 白(흰 백)		
	총 5획		
흰 백	*햇빛이 비침. '희다'를 뜻함.		

白	白	白	白	白
흰 백	흰 백	흰 백	흰 백	흰 백
白	白	白	白	白
흰 백	흰 백	흰 백	흰 백	흰 백

白	白	白	白					

흑	백	백	호	백	옥	미	백	고	백
黑			虎		玉	美		告	

*흑백(黑白) 검은색과 흰색을 아울러 이르는 말.	*백호(白虎) 몸바탕이 흰 호랑이.	*백옥(白玉) 빛깔이 하얀 옥.	*미백(美白) 살갗을 아름답고 희게 함.	*고백(告白) 마음속에 생각하고 있는 것이나 감추어 둔 것을 사실대로 숨김없이 말함.

本	훈(뜻)	음(소리)	한자 어휘
	근본	본	① 근본(根本) ② 본래(本來) ③ 기본(基本) ④ 본문(本文) ⑤ 원본(原本) ⑥ 본교(本校) ⑦ 본국(本國)
	부수 木(나무 목)		
	총 5획		
근본 본	*나무의 뿌리를 가리킴.		

本	本	本	本	本
근본 본	근본 본	근본 본	근본 본	근본 본
本	本	本	本	本
근본 본	근본 본	근본 본	근본 본	근본 본

本	本	本	本					

근	본	본	래	기	본	본	문	본	교
根			來	基			文		校

*근본(根本) 사물의 본질이나 본바탕.	*본래(本來) 처음부터 또는 근본부터. =본디.	*기본(基本) 사물이나 현상, 이론, 시설 따위를 이루는 바탕.	*본문(本文) 문서에서 주가 되는 글.	*본교(本校) 말하는 이가 공식적인 자리에서 자기 학교를 이르는 말.

夫	훈(뜻)	음(소리)	한자 어휘
	지아비	부	① 부부(夫婦) ② 부인(夫人) ③ 농부(農夫) ④ 어부(漁夫) ⑤ 광부(鑛夫) ⑥ 대장부(大丈夫) ⑦ 공부(工夫)
	부수 大(큰 대)		
	총 4획		
지아비 부	*상투(一)를 한 어른(大)인 남자를 뜻함.		

夫	夫	夫	夫	夫
지아비 부	지아비 부	지아비 부	지아비 부	지아비 부
夫	夫	夫	夫	夫
지아비 부	지아비 부	지아비 부	지아비 부	지아비 부

夫	夫	夫	夫					

부	부	부	인	농	부	어	부	광	부
	婦		人	農		漁		鑛	

*부부(夫婦) 남편과 아내를 아울러 이르는 말.	*부인(夫人) 남의 아내를 높여 이르는 말.	*농부(農夫) 농사짓는 일을 직업으로 하는 사람.	*어부(漁夫) 물고기 잡는 일을 직업으로 하는 사람.	*광부(鑛夫) 광산에서 광물을 캐는 일을 직업으로 하는 사람.

父	훈(뜻)	음(소리)	한자 어휘
	아버지	부	① 부모(父母) ② 부자(父子) ③ 부녀(父女) ④ 조부(祖父) ⑤ 숙부(叔父) ⑥ 백부(伯父) ⑦ 학부형(學父兄)
	부수 父(아버지 부)		
	총 4획		
아버지 부	*돌도끼를 손에 든 모습.		

父	父	父	父	父
아버지 부	아버지 부	아버지 부	아버지 부	아버지 부
父	父	父	父	父
아버지 부	아버지 부	아버지 부	아버지 부	아버지 부

父	父	父	父					

부	모	부	자	부	녀	조	부	숙	부
	母		子		女	祖		叔	

*부모(父母) 아버지와 어머니를 아울러 이르는 말.	*부자(父子) 아버지와 아들을 아울러 이르는 말.	*부녀(父女) 아버지와 딸을 아울러 이르는 말.	*조부(祖父) 부모의 아버지를 이르는 말.	*숙부(叔父) 아버지의 남동생을 이르는 말.

北	훈(뜻)	음(소리)	한자 어휘
	북녘 달아날	북 배	① 북방(北方) ② 북향(北向) ③ 북풍(北風) ④ 북극(北極) ⑤ 북문(北門) ⑥ 동서남북 (東西南北) ⑦ 패배(敗北)
	부수 匕(비수 비)		
	총 5획		
북녘 북	*사람이 서로 등지고 있다는 뜻. 등진 쪽이 북쪽이라는 뜻. 등을 돌리고 달아난다는 뜻.		

北	北	北	北	北
북녘 북	북녘 북	북녘 북	북녘 북	북녘 북
北	北	北	北	北
북녘 북	북녘 북	북녘 북	북녘 북	북녘 북

北	北	北	北					

북	방	북	향	북	풍	북	극	패	배
	方		向		風		極	敗	

*북방(北方)	*북향(北向)	*북풍(北風)	*북극(北極)	*패배(敗北)
네 방위의 하나. 북쪽 지방.	북쪽으로 향함. 또는 그 방향.	북쪽에서 불어오는 바람.	지축의 북쪽 끝.	겨루어서 짐. 싸움에 져서 달아남.

不	훈(뜻)	음(소리)	한자 어휘
	아닐	불(부)	① 불안(不安) ② 불만(不滿) ③ 불편(不便) ④ 불법(不法) ⑤ 부정(不正) ⑥ 부재(不在) ⑦ 부당(不當)
	부수 一(한 일)		
	총 4획		
아닐 불(부)	*'ㄷ, ㅈ' 앞에 오면 '부'로 발음 됨.		

不	不	不	不	不
아닐 불	아닐 불	아닐 불	아닐 불	아닐 불
不	不	不	不	不
아닐 불	아닐 불	아닐 불	아닐 불	아닐 불

不	不	不	不

불	안	불	만	불	편	부	정	부	당
	安		滿		便		正		當

*불안(不安) 마음이 편하지 아니하고 조마조마함.	*불만(不滿) 마음에 흡족하지 않음.	*불편(不便) 몸과 마음이 편하지 아니하고 괴로움.	*부정(不正) 올바르지 아니하거나 옳지 못함.	*부당(不當) 이치에 맞지 아니함.

四	훈(뜻)	음(소리)	한자 어휘
	넉	사	① 사월(四月) ② 사계절(四季節) ③ 사각(四角) ④ 사촌(四寸) ⑤ 사방(四方) ⑥ 사분기(四分期) ⑦ 사면(四面)
	부수 口(큰 입 구)		
	총 5획		
넉 사	*사방을 둘러싼 모양에서 '넷'을 뜻함.		

四	四	四	四	四
넉 사	넉 사	넉 사	넉 사	넉 사
四	四	四	四	四
넉 사	넉 사	넉 사	넉 사	넉 사

四	四	四	四					

사	월	사	각	사	촌	사	방	사	면
	月		角		寸		方		面
*사월(四月) 한 해 열두 달 가운데 넷째 달.		*사각(四角) 네 개의 각.		*사촌(四寸) 부모의 형제자매의 자녀끼리의 촌수.		*사방(四方) 동, 서, 남, 북 네 방위를 통틀어 이르는 말.		*사면(四面) 전후좌우의 모든 방면.	

山	훈(뜻)	음(소리)	한자 어휘
	뫼	산	① 등산(登山) ② 산림(山林) ③ 강산(江山) ④ 화산(火山) ⑤ 야산(野山) ⑥ 산행(山行) ⑦ 하산(下山)
	부수 山(뫼 산)		
	총 3획		
뫼 산	*산의 모양.		

山	山	山	山	山
뫼 산	뫼 산	뫼 산	뫼 산	뫼 산
山	山	山	山	山
뫼 산	뫼 산	뫼 산	뫼 산	뫼 산

山 山 山 山

등	산	산	림	강	산	화	산	하	산
登			林	江		火		下	

*등산(登山) 운동, 놀이, 탐험 따위의 목적으로 산에 오름.	*산림(山林) 산과 숲.	*강산(江山) 강과 산이라는 뜻으로, 자연의 경치를 이르는 말.	*화산(火山) 땅속에 있는 가스, 마그마 따위가 지각의 터진 틈을 통하여 지표로 분출하는 지점.	*하산(下山) 산에서 내려오거나 내려감.

三	훈(뜻)	음(소리)	한자 어휘
	석	삼	① 삼월(三月) ② 삼십(三十) ③ 삼일(三日) ④ 삼촌(三寸) ⑤ 삼대(三代) ⑥ 삼국(三國) ⑦ 삼면(三面)
	부수 一(한 일)		
	총 3획		
석 삼	*'一' 한 일 세 개. 손가락 세 개.		

三	三	三	三	三
석 삼	석 삼	석 삼	석 삼	석 삼
三	三	三	三	三
석 삼	석 삼	석 삼	석 삼	석 삼

三

三	三	三					

삼	월	삼	십	삼	촌	삼	대	삼	면
	月		十		寸		代		面

*삼월(三月) 한 해 열두 달 가운데 셋째 달.	*삼십(三十) 십의 세 배가 되는 수.	*삼촌(三寸) 부모의 형제자매와의 촌수.	*삼대(三代) 아버지, 아들, 손자의 세 대.	*삼면(三面) 세 방면.

上	훈(뜻)	음(소리)	한자 어휘
	위	상	① 상하(上下) ② 향상(向上) ③ 지상(地上) ④ 세상(世上) ⑤ 상위(上位) ⑥ 상승(上昇) ⑦ 상부(上部)
	부수 一(한 일)		
	총 3획		
위 상	*'위'의 뜻.		

上	上	上	上	上
위 상	위 상	위 상	위 상	위 상
上	上	上	上	上
위 상	위 상	위 상	위 상	위 상

上	上	上	上					

상	하	지	상	세	상	상	승	상	부
	下	地		世			昇		部

*상하(上下) 위와 아래를 아울러 이르는 말.	*지상(地上) 땅의 위.	*세상(世上) 사람이 살고 있는 모든 사회를 통틀어 이르는 말.	*상승(上昇) 낮은 데서 위로 올라감.	*상부(上部) 위쪽 부분. 더 높은 직위나 관청.

生	훈(뜻)	음(소리)	한자 어휘
	날	생	① 생일(生日) ② 출생(出生) ③ 생명(生命) ④ 생활(生活) ⑤ 생존(生存) ⑥ 생물(生物) ⑦ 생산(生産)
	부수 生(날 생)		
	총 5획		
날 생	*씨앗이 싹터 새싹이 땅 위에 나온 모양.		

生	生	生	生	生
날 생	날 생	날 생	날 생	날 생
生	生	生	生	生
날 생	날 생	날 생	날 생	날 생

生	生	生	生					

생	일	출	생	생	명	생	활	생	산
	日	出			命		活		産

*생일(生日) 세상에 태어난 날.	*출생(出生) 세상에 나옴.	*생명(生命) 사람이 살아서 숨 쉬고 활동할 수 있게 하는 힘.	*생활(生活) 사람이나 동물이 일정한 환경에서 활동하며 살아감.	*생산(生産) 인간이 생활하는 데 필요한 각종 물건을 만들어 냄.

西	훈(뜻)	음(소리)	한자 어휘
	서녘	서	① 동서(東西) ② 서양(西洋) ③ 서방(西方) ④ 서문(西門) ⑤ 서풍(西風) ⑥ 서해안(西海岸) ⑦ 동문서답(東問西答)
	부수 襾(덮을 아)		
	총 6획		
서녘 서	*새가 둥지에 있는 모양. 해가 서쪽으로 저물 때 새가 둥지로 돌아간다는 데서 서쪽을 뜻함.		

西	西	西	西	西
서녘 서	서녘 서	서녘 서	서녘 서	서녘 서
西	西	西	西	西
서녘 서	서녘 서	서녘 서	서녘 서	서녘 서

西

西 西 西

동	서	서	양	서	방	서	문	서	풍
東			洋		方		門		風

*동서(東西) 동쪽과 서쪽을 아울러 이르는 말.	*서양(西洋) 유럽과 남북아메리카의 여러 나라를 통틀어 이르는 말.	*서방(西方) 네 방위의 하나. 서쪽 지방.	*서문(西門) 서쪽으로 난 문.	*서풍(西風) 서쪽에서 불어오는 바람.

石	훈(뜻)	음(소리)	한자 어휘
	돌	석	① 수석(水石) ② 보석(寶石) ③ 옥석(玉石) ④ 석공(石工) ⑤ 암석(巖石) ⑥ 석탄(石炭) ⑦ 석유(石油)
	부수 石(돌 석)		
	총 5획		
돌 석	*언덕 아래 돌의 모양.		

石 石 石 石 石

돌석 돌석 돌석 돌석 돌석

石 石 石 石 石

돌 석 돌 석 돌 석 돌 석 돌 석

石 石 石 石

수	석	보	석	옥	석	석	공	석	유
水		寶		玉			工		油

*수석(水石) 물과 돌을 아울러 이르는 말.	*보석(寶石) 아주 단단하고 빛깔과 광택이 아름다우며 희귀한 광물.	*옥석(玉石) 옥이 들어있는 돌. 또는 가공하지 아니한 천연의 옥.	*석공(石工) 돌을 다루어 물건을 만드는 사람.	*석유(石油) 땅속에서 천연으로 나는, 탄화수소를 주성분으로 하는 가연성 기름.

夕	훈(뜻)	음(소리)	한자 어휘
	저녁	석	① 석식(夕食) ② 석양(夕陽) ③ 조석(朝夕) ④ 추석(秋夕) ⑤ 석간신문(夕刊新聞) ⑥ 석경(夕景) ⑦ 칠석(七夕)
	부수 夕(저녁 석)		
	총 3획		
저녁 석	*해 질 무렵 희미한 달의 모양.		

夕	夕	夕	夕	夕
저녁 석	저녁 석	저녁 석	저녁 석	저녁 석
夕	夕	夕	夕	夕
저녁 석	저녁 석	저녁 석	저녁 석	저녁 석

夕 夕 夕 夕

석	식	석	양	조	석	추	석	칠	석
	食		陽	朝		秋		七	

*석식(夕食) 저녁에 끼니로 먹는 밥.	*석양(夕陽) 저녁때의 햇빛. 또는 저녁때의 저무는 해.	*조석(朝夕) 아침과 저녁을 아울러 이르는 말.	*추석(秋夕) 우리나라 명절의 하나.	*칠석(七夕) 음력으로 7월 7일을 이르는 말.

小	훈(뜻)	음(소리)	한자 어휘
	작을	소	① 대소(大小) ② 소아(小兒) ③ 소규모(小規模) ④ 축소(縮小) ⑤ 소품(小品) ⑥ 소변(小便) ⑦ 소설(小說)
	부수 小(작을 소)		
	총 3획		
작을 소	*작은 낟알 세 개의 모양.		

小	小	小	小	小
작을 소	작을 소	작을 소	작을 소	작을 소
小	小	小	小	小
작을 소	작을 소	작을 소	작을 소	작을 소

小

小	小	小					

대	소	소	아	축	소	소	품	소	설
大			兒	縮			品		說

*대소(大小) 크고 작음.	*소아(小兒) 나이가 적은 아이. =어린아이.	*축소(縮小) 모양이나 규모 따위를 줄여서 작게 함.	*소품(小品) 규모가 작은 예술 작품.	*소설(小說) 사실 또는 작가의 상상력에 바탕을 두고 허구적으로 이야기를 꾸며 나간 산문체의 문학 양식.

水	훈(뜻)	음(소리)	한자 어휘
	물	수	① 호수(湖水) ② 수면(水面) ③ 수분(水分) ④ 수질(水質) ⑤ 약수(藥水) ⑥ 수영(水泳) ⑦ 홍수(洪水)
	부수 水(물 수)		
	총 4획		
물 수	*물이 흐르는 모양.		

水	水	水	水	水
물 수	물 수	물 수	물 수	물 수
水	水	水	水	水
물 수	물 수	물 수	물 수	물 수

水	水	水	水					

호	수	수	면	수	분	약	수	수	영
湖			面		分	藥			泳

*호수(湖水) 땅이 우묵하게 들어가 물이 괴어 있는 곳.	*수면(水面) 물의 겉면.	*수분(水分) 축축한 물의 기운.	*약수(藥水) 먹거나 몸을 담그거나 하면 약효가 있는 샘물.	*수영(水泳) 스포츠나 놀이로서 물속을 헤엄치는 일.

手	훈(뜻)	음(소리)	한자 어휘
	손	수	① 수족(手足) ② 입수(入手) ③ 목수(木手) ④ 투수(投手) ⑤ 고수(高手) ⑥ 박수(拍手) ⑦ 선수(先手)
	부수 手(손 수)		
	총 4획		
손 수	*손의 모양.		

手	手	手	手	手
손 수	손 수	손 수	손 수	손 수
手	手	手	手	手
손 수	손 수	손 수	손 수	손 수

手	手	手	手					

수	족	입	수	목	수	투	수	고	수
	足	入		木		投		高	

*수족(手足) 손과 발을 아울러 이르는 말.	*입수(入手) 손에 들어옴. 또는 손에 넣음.	*목수(木手) 나무를 다루어 집을 짓거나 가구, 기구 따위를 만드는 일을 직업으로 하는 사람.	*투수(投手) 야구에서, 내야의 중앙에 위치한 마운드에서 성태편의 타자가 칠 공을 포수를 향하여 던지는 선수.	*고수(高手) 어떤 분야나 집단에서 기술이나 능력이 매우 뛰어난 사람.

市	훈(뜻)	음(소리)	한자 어휘
	저자	시	① 시장(市長) ② 도시(都市) ③ 시민(市民) ④ 시내(市內) ⑤ 시청(市廳) ⑥ 시가(市街) ⑦ 시립(市立)
	부수 巾(수건 건)		
	총 5획		
저자 시	*천(巾) 등을 파는 시장.		

市	市	市	市	市
저자 시	저자 시	저자 시	저자 시	저자 시
市	市	市	市	市
저자 시	저자 시	저자 시	저자 시	저자 시

市

市	市	市					

시	장	도	시	시	민	시	청	시	립
	場	都			民		廳		立

*시장(市場) 여러 가지 상품을 사고파는 일정한 장소.	*도시(都市) 일정한 지역의 정치, 경제, 문화의 중심이 되는, 사람이 많이 사는 지역.	*시민(市民) 시(市)에 사는 사람.	*시청(市廳) 시(市)의 행정 사무를 맡아보는 관청.	*시립(市立) 공공의 이익을 위하여 시(市)의 예산으로 세우고 관리함.

示	훈(뜻)	음(소리)	한자 어휘
	보일	시	① 표시(表示) ② 제시(提示) ③ 전시(展示) ④ 예시(例示) ⑤ 명시(明示) ⑥ 암시(暗示) ⑦ 과시(誇示)
	부수 示(보일 시)		
	총 5획		
보일 시	*제사 지내는 제단의 모양. 제물을 신에게 보여 준다는 뜻.		

示	示	示	示	示
보일 시	보일 시	보일 시	보일 시	보일 시
示	示	示	示	示
보일 시	보일 시	보일 시	보일 시	보일 시

示

示 示 示

표	시	제	시	전	시	예	시	명	시
表		提		展		例		明	

*표시(表示) 겉으로 드러내 보임.	*제시(提示) 어떠한 의사를 말이나 글로 나타내어 보임.	*전시(展示) 여러 가지 물품을 한곳에 벌여 놓고 보임.	*예시(例示) 예를 들어 보임.	*명시(明示) 분명하게 드러내 보임.

身	훈(뜻)	음(소리)	한자 어휘
	몸	신	① 자신(自身) ② 심신(心身) ③ 신장(身長) ④ 출신(出身) ⑤ 대신(代身) ⑥ 신세(身世) ⑦ 신분(身分)
	부수 身(몸 신)		
	총 7획		
몸 신	*아이를 임신한 여자의 모습.		

身	身	身	身	身
몸 신	몸 신	몸 신	몸 신	몸 신
身	身	身	身	身
몸 신	몸 신	몸 신	몸 신	몸 신

身	身	身	身					

자	신	심	신	신	장	대	신	신	분
自		心			長	代			分
*자신(自身) 그 사람의 몸 또는 바로 그 사람을 이르는 말.		*심신(心身) 마음과 몸을 아울러 이르는 말.		*신장(身長) 몸의 길이.		*대신(代身) 어떤 대상의 자리나 구실을 바꾸어서 새로 맡음.		*신분(身分) 개인의 사회적인 위치나 계급.	

心	훈(뜻)	음(소리)	한자 어휘
	마음	심	① 인심(人心) ② 양심(良心) ③ 결심(決心) ④ 심장(心臟) ⑤ 진심(眞心) ⑥ 의심(疑心) ⑦ 심정(心情)
	부수 心(마음 심)		
	총 4획		
마음 심	*사람의 심장 모양.		

心	心	心	心	心
마음 심	마음 심	마음 심	마음 심	마음 심
心	心	心	心	心
마음 심	마음 심	마음 심	마음 심	마음 심

心	心	心	心					

인	심	양	심	결	심	진	심	심	정
人		良		決		眞			情

*인심(人心) 사람의 마음.	*양심(良心) 사물의 가치를 변별하고 자기의 행위에 대하여 옳고 그름과 선과 악의 판단을 내리는 도덕적 의식.	*결심(決心) 할 일에 대하여 어떻게 하기로 마음을 굳게 정함.	*진심(眞心) 거짓이 없는 참된 마음.	*심정(心情) 마음속에 품고 있는 생각이나 감정.

十	훈(뜻)	음(소리)	한자 어휘
	열	십	① 이십(二十) ② 삼십(三十) ③ 사십(四十) ④ 오십(五十) ⑤ 십분(十分) ⑥ 십일월(十一月) ⑦ 십중팔구 (十中八九)
	부수 十(열 십)		
	총 2획		
열 십	*세로획에 점을 찍어 '십'을 나타냄.		

十	十	十	十	十
열 십	열 십	열 십	열 십	열 십
十	十	十	十	十
열 십	열 십	열 십	열 십	열 십

十	十	十	十					

이	십	삼	십	사	십	오	십	십	분
二		三		四		五			分

*이십(二十) 십의 두 배가 되는 수.	*삼십(三十) 십의 세 배가 되는 수.	*사십(四十) 십의 네 배가 되는 수.	*오십(五十) 십의 다섯 배가 되는 수.	*십분(十分) 아주 충분히.

兒	훈(뜻)	음(소리)	한자 어휘
	아이	아	① 소아(小兒) ② 유아(幼兒) ③ 육아(育兒) ④ 남아(男兒) ⑤ 여아(女兒) ⑥ 태아(胎兒) ⑦ 아동(兒童)
	부수 儿(어진사람 인)		
	총 8획		
아이 아	*갓난아이의 모습.		

兒	兒	兒	兒	兒
아이 아	아이 아	아이 아	아이 아	아이 아
兒	兒	兒	兒	兒
아이 아	아이 아	아이 아	아이 아	아이 아

兒	兒	兒	兒					

소	아	유	아	육	아	남	아	여	아
小		幼		育		男		女	
*소아(小兒) 나이가 적은 아이.		*유아(幼兒) 생후 1년부터 만 6세까지의 어린아이.		*육아(育兒) 어린아이를 기름.		*남아(男兒) 남자아이.		*여아(女兒) 여자아이.	

羊	훈(뜻)	음(소리)	한자 어휘
	양	양	① 산양(山羊) ② 양모(羊毛) ③ 양피(羊皮) ④ 양두(羊頭) ⑤ 양육(羊肉) ⑥ 양유(羊乳) ⑦ 양각(羊角)
	부수 羊(양 양)		
	총 6획		
양 양	*양의 머리 모양.		

羊	羊	羊	羊	羊
양 양	양 양	양 양	양 양	양 양
羊	羊	羊	羊	羊
양 양	양 양	양 양	양 양	양 양

羊 羊 羊 羊

산	양	양	모	양	피	양	두	양	육
山			毛		皮		頭		肉

*산양(山羊) 솟과의 포유류.	*양모(羊毛) 양의 털.	*양피(羊皮) 양의 가죽.	*양두(羊頭) 양의 머리.	*양육(羊肉) 양고기.

魚	훈(뜻)	음(소리)	한자 어휘
	물고기	어	① 대어(大魚) ② 활어(活魚) ③ 어종(魚種) ④ 장어(長魚) ⑤ 치어(稚魚) ⑥ 어시장(魚市場) ⑦ 양어장(養魚場)
	부수 魚(물고기 어)		
	총 11획		
물고기 어	*물고기의 모양.		

魚	魚	魚	魚	魚
물고기 어	물고기 어	물고기 어	물고기 어	물고기 어
魚	魚	魚	魚	魚
물고기 어	물고기 어	물고기 어	물고기 어	물고기 어

魚	魚	魚	魚					

대	어	활	어	어	종	장	어	치	어
大		活			種	長		稚	

*대어(大魚) 큰 물고기.	*활어(活魚) 살아있는 물고기.	*어종(魚種) 물고기의 종류.	*장어(長魚) 뱀장어과의 민물고기.	*치어(稚魚) 알에서 깬 지 얼마 안 되는 어린 물고기.

言

훈(뜻)	음(소리)
말씀	언

부수 言(말씀 언)

총 7획

한자 어휘

① 언어(言語)
② 언론(言論)
③ 발언(發言)
④ 언행(言行)
⑤ 무언(無言)
⑥ 폭언(暴言)
⑦ 언성(言聲)

말씀 언

*입(口)으로 말함을 뜻함.

언어	언론	발언	언행	무언
語	論	發	行	無
*언어(言語) 생각, 느낌 따위를 나타내거나 전달하는 데에 쓰는 음성, 문자 따위의 수단.	*언론(言論) 매체를 통하여 어떤 사실을 밝혀 알리거나 어떤 문제에 대하여 여론을 형성하는 활동.	*발언(發言) 말을 꺼내어 의견을 나타냄. 또는 그 말.	*언행(言行) 말과 행동을 아울러 이르는 말.	*무언(無言) 말이 없음.

五	훈(뜻)	음(소리)	한자 어휘
	다섯	오	① 오월(五月) ② 오색(五色) ③ 오곡(五穀) ④ 오감(五感) ⑤ 오장(五臟) ⑥ 오미자(五味子) ⑦ 삼삼오오 (三三五五)
	부수 二(두 이)		
	총 4획		
다섯 오	*'다섯'의 뜻.		

五	五	五	五	五
다섯 오	다섯 오	다섯 오	다섯 오	다섯 오
五	五	五	五	五
다섯 오	다섯 오	다섯 오	다섯 오	다섯 오

五	五	五	五					

오	월	오	색	오	곡	오	감	오	장
	月		色		穀		感		臟

*오월(五月) 한 해 열두 달 가운데 다섯째 달.	*오색(五色) 다섯 가지의 빛깔. 파랑, 노랑, 빨강, 하양, 검정을 이른다.	*오곡(五穀) 다섯 가지 중요한 곡식. 쌀, 보리, 콩, 조, 기장을 이른다.	*오감(五感) 시각, 청각, 후각, 미각, 촉각의 다섯 가지 감각.	*오장(五臟) 간장, 심장, 비장, 폐장, 신장의 다섯 가지 내장을 통틀어 이르는 말.

午	훈(뜻)	음(소리)	한자 어휘
	낮	오	① 오전(午前) ② 오후(午後) ③ 정오(正午) ④ 상오(上午) ⑤ 하오(下午) ⑥ 오찬(午餐) ⑦ 오침(午寢)
	부수 十(열 십)		
	총 4획		
낮 오	*절굿공이를 바로 세운 모양.		

午	午	午	午	午
낮 오	낮 오	낮 오	낮 오	낮 오
午	午	午	午	午
낮 오	낮 오	낮 오	낮 오	낮 오

午 午 午 午

오	전	오	후	정	오	상	오	하	오
	前		後	正		上		下	

*오전(午前) 밤 열두 시부터 낮 열두 시까지의 시간.	*오후(午後) 낮 열두 시부터 밤 열두 시까지의 시간.	*정오(正午) 낮 열두 시.	*상오(上午) 밤 열두 시부터 낮 열두 시까지의 시간. =오전.	*하오(下午) 낮 열두 시부터 밤 열두 시까지의 시간. =오후.

玉	훈(뜻)	음(소리)	한자 어휘
	구슬	옥	① 옥석(玉石) ② 옥색(玉色) ③ 백옥(白玉) ④ 주옥(珠玉) ⑤ 옥편(玉篇) ⑥ 옥체(玉體) ⑦ 옥좌(玉座)
	부수 玉(구슬 옥)		
	총 5획		
구슬 옥	*구슬 세 개를 꿴 모양.		

玉	玉	玉	玉	玉
구슬 옥	구슬 옥	구슬 옥	구슬 옥	구슬 옥
玉	玉	玉	玉	玉
구슬 옥	구슬 옥	구슬 옥	구슬 옥	구슬 옥

玉	玉	玉	玉					

옥	석	옥	색	백	옥	옥	편	옥	체
	石		色	白			篇		體

*옥석(玉石) 옥이 들어 있는 돌.	*옥색(玉色) 옥의 빛깔과 같은 흐린 초록색.	*백옥(白玉) 빛깔이 하얀 옥.	*옥편(玉篇) 한자를 모아서 일정한 순서로 늘어놓고 글자 하나하나의 뜻과 음을 풀이한 책.	*옥체(玉體) 옥같이 아름다운 몸. 임금의 몸.

王	훈(뜻)	음(소리)	한자 어휘
	임금	왕	① 왕국(王國) ② 왕비(王妃) ③ 왕자(王子) ④ 여왕(女王) ⑤ 왕권(王權) ⑥ 왕실(王室) ⑦ 왕궁(王宮)
	부수 玉(구슬 옥)		
	총 4획		
임금 왕	*큰 도끼의 모양.		

王	王	王	王	王
임금 왕	임금 왕	임금 왕	임금 왕	임금 왕
王	王	王	王	王
임금 왕	임금 왕	임금 왕	임금 왕	임금 왕

王	王	王	王					

왕	국	왕	자	여	왕	왕	권	왕	실
	國		子	女			權		室

*왕국(王國) 임금이 다스리는 나라.	*왕자(王子) 임금의 아들.	*여왕(女王) 여자 임금.	*왕권(王權) 임금이 지닌 권력이나 권리.	*왕실(王室) 임금의 집안.

外	훈(뜻)	음(소리)	한자 어휘
	바깥	외	① 내외(內外) ② 외출(外出) ③ 외국(外國) ④ 해외(海外) ⑤ 외교(外交) ⑥ 야외(野外) ⑦ 예외(例外)
	부수 夕(저녁 석)		
	총 5획		
바깥 외	*저녁(夕)에 점(卜)을 보는 것은 예외라는 뜻.		

外	外	外	外	外
바깥 외	바깥 외	바깥 외	바깥 외	바깥 외
外	外	外	外	外
바깥 외	바깥 외	바깥 외	바깥 외	바깥 외

外	外	外	外					

내	외	외	출	외	국	해	외	예	외
內			出		國	海		例	
*내외(內外) 안과 밖을 아울러 이르는 말.		*외출(外出) 집이나 근무지 따위에서 벗어나 잠시 밖으로 나감.		*외국(外國) 자기 나라가 아닌 다른 나라.		*해외(海外) 다른 나라를 이르는 말.		*예외(例外) 일반적 규칙이나 정례에서 벗어나는 일.	

雨	훈(뜻)	음(소리)	한자 어휘
	비	우	① 우의(雨衣) ② 우산(雨傘) ③ 풍우(風雨) ④ 강우량(降雨量) ⑤ 호우(豪雨) ⑥ 폭우(暴雨) ⑦ 우박(雨雹)
	부수 雨(비 우)		
	총 8획		
비 우	*비가 내리는 모양.		

雨	雨	雨	雨	雨
비 우	비 우	비 우	비 우	비 우
雨	雨	雨	雨	雨
비 우	비 우	비 우	비 우	비 우

雨	雨	雨	雨					

우	의	우	산	풍	우	호	우	폭	우
	衣		傘	風		豪		暴	

*우의(雨衣) 비가 올 때 비에 젖지 아니하도록 덧입는 옷.	*우산(雨傘) 우비의 하나. 펴고 접을 수 있어 비가 올 때에 펴서 손에 들고 머리 위를 가린다.	*풍우(風雨) 바람과 비를 아울러 이르는 말.	*호우(豪雨) 줄기차게 내리는 크고 많은 비.	*폭우(暴雨) 갑자기 세차게 쏟아지는 비.

牛	훈(뜻)	음(소리)	한자 어휘
	소	우	① 우유(牛乳) ② 한우(韓牛) ③ 우마(牛馬) ④ 투우(鬪牛) ⑤ 우시장(牛市場) ⑥ 우육(牛肉) ⑦ 우피(牛皮)
	부수 牛(소 우)		
	총 4획		
소 우	*소의 머리 모양.		

牛	牛	牛	牛	牛
소 우	소 우	소 우	소 우	소 우
牛	牛	牛	牛	牛
소 우	소 우	소 우	소 우	소 우

牛	牛	牛	牛					

우	유	한	우	우	마	투	우	우	육
	乳	韓			馬	鬪			肉

*우유(牛乳) 소의 젖.	*한우(韓牛) 소의 한 품종. 우리나라 재래종으로 농경, 운반 따위의 일에도 이용한다.	*우마(牛馬) 소와 말을 아울러 이르는 말.	*투우(鬪牛) 소와 소를 싸움 붙이는 경기. 또는 그 소.	*우육(牛肉) 소의 고기.

元	훈(뜻)	음(소리)	한자 어휘
	으뜸	원	① 원수(元首) ② 원래(元來) ③ 원금(元金) ④ 기원(紀元) ⑤ 원조(元祖) ⑥ 신원(身元) ⑦ 원로(元老)
	부수 儿(어진사람 인)		
	총 4획		
으뜸 원	*사람의 머리를 가리킴. '으뜸'이라는 뜻.		

元	元	元	元	元
으뜸 원	으뜸 원	으뜸 원	으뜸 원	으뜸 원
元	元	元	元	元
으뜸 원	으뜸 원	으뜸 원	으뜸 원	으뜸 원

元	元	元	元					

원	수	원	래	기	원	신	원	원	로
	首		來	紀		身			老

*원수(元首)	*원래(元來)	*기원(紀元)	*신원(身元)	*원로(元老)
한 나라에서 으뜸가는 권력을 지니면서 나라를 다스리는 사람.	사물이 전하여 내려온 그 처음. =본디.	연대를 계산하는 데에 기준이 되는 해. 새로운 출발이 되는 시대나 시기.	개인의 성장 과정과 관련된 자료.	한 가지 일에 오래 종사하여 경험과 공로가 많은 사람.

月	훈(뜻)	음(소리)	한자 어휘
	달	월	① 월요일(月曜日) ② 매월(每月) ③ 월초(月初) ④ 월말(月末) ⑤ 월중(月中) ⑥ 월급(月給) ⑦ 세월(歲月)
	부수 月(달 월)		
	총 4획		
달 월	*달의 모양.		

月 月 月 月 月

달 월 달 월 달 월 달 월 달 월

月 月 月 月 月

달 월 달 월 달 월 달 월 달 월

月 月 月 月

매	월	월	초	월	말	월	중	월	급
每			初		末		中		給

*매월(每月) 한 달 한 달. 달마다.	*월초(月初) 그달의 처음 무렵.	*월말(月末) 그달의 끝 무렵.	*월중(月中) 그달 동안.	*월급(月給) 한 달을 단위로 하여 지급하는 급료.

有	훈(뜻)	음(소리)	한자 어휘
	있을	유	① 유무(有無) ② 유명(有名) ③ 유선(有線) ④ 유력(有力) ⑤ 유료(有料) ⑥ 소유(所有) ⑦ 공유(公有)
	부수 月(달 월)		
	총 6획		
있을 유	*손에 고기를 가지고 있는 것을 뜻함.		

有	有	有	有	有
있을 유	있을 유	있을 유	있을 유	있을 유
有	有	有	有	有
있을 유	있을 유	있을 유	있을 유	있을 유

有	有	有	有					

유	무	유	명	유	선	유	력	소	유
	無		名		線		力	所	

*유무(有無) 있음과 없음.	*유명(有名) 이름이 널리 알려져 있음.	*유선(有線) 전선에 의한 통신 방식.	*유력(有力) 세력이나 재산이 있음.	*소유(所有) 가지고 있음.

由	훈(뜻)	음(소리)	한자 어휘
	말미암을	유	① 자유(自由) ② 이유(理由) ③ 사유(事由) ④ 연유(緣由) ⑤ 유래(由來) ⑥ 경유(經由) ⑦ 부자유(不自由)
	부수 田(밭 전)		
	총 5획		
말미암을 유	*밭에서 싹이 나오는 모양.		

由	由	由	由	由
말미암을 유	말미암을 유	말미암을 유	말미암을 유	말미암을 유
由	由	由	由	由
말미암을 유	말미암을 유	말미암을 유	말미암을 유	말미암을 유

由	由	由	由					

자	유	이	유	사	유	유	래	경	유
自		理		事			來	經	
*자유(自由) 외부적인 구속이나 무엇에 얽매이지 아니하고 자기 마음대로 할 수 있는 상태.		*이유(理由) 어떠한 결론이나 결과에 이른 까닭이나 근거.		*사유(事由) 일의 까닭.		*유래(由來) 사물이나 일이 생겨남.		*경유(經由) 어떤 곳을 거쳐 지남.	

肉	훈(뜻)	음(소리)	한자 어휘
	고기	육	① 육체(肉體) ② 육신(肉身) ③ 혈육(血肉) ④ 육식(肉食) ⑤ 육우(肉牛) ⑥ 육수(肉水) ⑦ 과육(果肉)
	부수 肉(고기 육)		
	총 6획		
고기 육	*고기의 모양.		

肉	肉	肉	肉	肉
고기 육	고기 육	고기 육	고기 육	고기 육
肉	肉	肉	肉	肉
고기 육	고기 육	고기 육	고기 육	고기 육

肉	肉	肉	肉					

육	체	혈	육	육	식	육	수	과	육
	體	血			食		水	果	

*육체(肉體) 구체적인 물체로서 사람의 몸.	*혈육(血肉) 피와 살을 아울러 이르는 말.	*육식(肉食) 음식으로 고기를 먹음. 또는 그런 식사.	*육수(肉水) 고기를 삶아 낸 물.	*과육(果肉) 열매에서 씨를 둘러싸고 있는 살.

衣	훈(뜻)	음(소리)	한자 어휘
	옷	의	① 상의(上衣) ② 하의(下衣) ③ 내의(內衣) ④ 우의(雨衣) ⑤ 백의(白衣) ⑥ 의류(衣類) ⑦ 의식주(衣食住)
	부수 衣(옷 의)		
	총 6획		
옷 의	*옷을 입은 모양.		

衣	衣	衣	衣	衣
옷 의	옷 의	옷 의	옷 의	옷 의
衣	衣	衣	衣	衣
옷 의	옷 의	옷 의	옷 의	옷 의

衣	衣	衣	衣					

상	의	하	의	내	의	우	의	백	의
上		下		內		雨		白	

*상의(上衣) 위에 입는 옷.	*하의(下衣) 아래에 입는 옷.	*내의(內衣) 겉옷의 안쪽에 몸에 직접 닿게 입는 옷.	*우의(雨衣) 비가 올 때 비에 젖지 아니하도록 덧입는 옷.	*백의(白衣) 물감을 들이지 아니한 흰 빛깔의 옷. =흰옷.

二	훈(뜻)	음(소리)	한자 어휘
	두	이	① 이십(二十) ② 이월(二月) ③ 이중(二重) ④ 이세(二世) ⑤ 이등(二等) ⑥ 이류(二流) ⑦ 일석이조 (一石二鳥)
	부수 二(두 이)		
	총 2획		
두 이	*'두 개'의 뜻.		

二	二	二	二	二
두 이	두 이	두 이	두 이	두 이
二	二	二	二	二
두 이	두 이	두 이	두 이	두 이

이	십	이	월	이	중	이	세	이	등
	十		月		重		世		等

*이십(二十) 십의 두 배가 되는 수.	*이월(二月) 한 해 열두 달 가운데 둘째 달.	*이중(二重) 두 겹. 또는 두 번 거듭되거나 겹침.	*이세(二世) 다음 세대.	*이등(二等) 두 번째 등급.

人	훈(뜻)	음(소리)	한자 어휘
	사람	인	① 인간(人間) ② 인구(人口) ③ 인생(人生) ④ 인물(人物) ⑤ 본인(本人) ⑥ 인력(人力) ⑦ 인심(人心)
	부수 人(사람 인)		
	총 2획		
사람 인	*서 있는 사람의 모양.		

人	人	人	人	人
사람 인	사람 인	사람 인	사람 인	사람 인
人	人	人	人	人
사람 인	사람 인	사람 인	사람 인	사람 인

人	人	人	人					

인	간	인	구	인	생	인	력	인	심
	間		口		生		力		心

*인간(人間) 생각을 하고 언어를 사용하며, 도구를 만들어 쓰고 사회를 이루어 사는 동물.	*인구(人口) 일정한 지역에 사는 사람의 수.	*인생(人生) 사람이 세상을 살아가는 일.	*인력(人力) 사람의 힘.	*인심(人心) 사람의 마음.

一	훈(뜻)	음(소리)	한자 어휘
	한	일	① 일일(一日) ② 일생(一生) ③ 일면(一面) ④ 일시(一時) ⑤ 일행(一行) ⑥ 동일(同一) ⑦ 일방(一方)
	부수 一(한 일)		
	총 1획		
한 일	*'한 개'의 뜻.		

一	一	一	一	一
한 일	한 일	한 일	한 일	한 일
一	一	一	一	一
한 일	한 일	한 일	한 일	한 일

一	一	一	一					

일	생	일	면	일	시	일	행	동	일
	生		面		時		行	同	
*일생(一生) 세상에 태어나서 죽을 때까지의 동안.		*일면(一面) 물체나 사람의 한 면. 또는 일의 한 방면.		*일시(一時) 어느 한 시기의 짧은 동안에.		*일행(一行) 함께 길을 가는 사람들의 무리.		*동일(同一) 어떤 것과 비교하여 똑같음.	

日

훈(뜻)	음(소리)
날	일

부수 日(날 일)

총 4획

날 일

*해의 모양.

한자 어휘

① 일기(日記)
② 내일(來日)
③ 매일(每日)
④ 평일(平日)
⑤ 생일(生日)
⑥ 일상(日常)
⑦ 일요일(日曜日)

日 日 日 日 日

날 일 날 일 날 일 날 일 날 일

日 日 日 日 日

날 일 날 일 날 일 날 일 날 일

日 日 日 日

일	기	내	일	평	일	생	일	일	상
	記	來		平		生			常

*일기(日記) 날마다 그날그날 겪은 일이나 생각, 느낌 따위를 적는 개인의 기록.

*내일(來日) 오늘의 바로 다음 날.

*평일(平日) 특별한 일이 없는 보통 때. 토요일, 일요일, 공휴일이 아닌 보통 날.

*생일(生日) 세상에 태어난 날.

*일상(日常) 날마다 반복되는 생활.

子	훈(뜻)	음(소리)	한자 어휘
	아들	자	① 남자(男子) ② 여자(女子) ③ 부자(父子) ④ 모자(母子) ⑤ 자녀(子女) ⑥ 손자(孫子) ⑦ 제자(弟子)
	부수 子(아들 자)		
	총 3획		
아들 자	*어린 아이의 모습.		

子	子	子	子	子
아들 자	아들 자	아들 자	아들 자	아들 자
子	子	子	子	子
아들 자	아들 자	아들 자	아들 자	아들 자

子 子 子 子

부	자	모	자	자	녀	손	자	제	자
父		母			女	孫		弟	

*부자(父子) 아버지와 아들을 아울러 이르는 말.	*모자(母子) 어머니와 아들을 아울러 이르는 말.	*자녀(子女) 아들과 딸을 아울러 이르는 말.	*손자(孫子) 아들의 아들. 또는 딸의 아들.	*제자(弟子) 스승으로부터 가르침을 받거나 받은 사람.

自	훈(뜻)	음(소리)	한자 어휘
	스스로	자	① 자기(自己) ② 자신(自身) ③ 자연(自然) ④ 자아(自我) ⑤ 자유(自由) ⑥ 자립(自立) ⑦ 자동(自動)
	부수 自(스스로 자)		
	총 6획		
스스로 자	*사람의 코 모양.		

自	自	自	自	自
스스로 자	스스로 자	스스로 자	스스로 자	스스로 자
自	自	自	自	自
스스로 자	스스로 자	스스로 자	스스로 자	스스로 자

自	自	自	自					

자	기	자	신	자	연	자	유	자	동
	己		身		然		由		動

*자기(自己) 그 사람 자신.	*자신(自身) 그 사람의 몸 또는 바로 그 사람을 이르는 말.	*자연(自然) 사람의 힘이 더해지지 아니하고 저절로 생겨난 산, 강, 바다, 식물, 동물 따위의 존재. 또는 그것들이 이루는 지리적, 지질적 환경.	*자유(自由) 외부적인 구속이나 무엇에 얽매이지 아니하고 자기 마음대로 할 수 있는 상태.	*자동(自動) 기계나 설비 따위가 자체 내에 있는 일정한 장치의 작용에 의하여 스스로 작동함.

長	훈(뜻)	음(소리)	한자 어휘
	길	장	① 성장(成長)
	부수 長(길 장)		② 연장(延長)
			③ 신장(身長)
	총 8획		④ 교장(校長)
			⑤ 회장(會長)
			⑥ 사장(社長)
			⑦ 시장(市長)
길 장	*머리카락이 긴 노인의 모습.		

長 長 長 長 長

길 장 길 장 길 장 길 장 길 장

長 長 長 長 長

길 장 길 장 길 장 길 장 길 장

長 長 長 長

성	장	신	장	교	장	회	장	시	장
成		身		校		會		市	

*성장(成長) 사람이나 동식물 따위가 자라서 점점 커짐.

*신장(身長) 몸의 길이.

*교장(校長) 대학이나 학원을 제외한 각급 학교의 으뜸 직위.

*회장(會長) 모임을 대표하고 모임의 일을 총괄하는 사람.

*시장(市長) 지방 자치 단체인 시의 책임자.

田 밭 전

훈(뜻)	음(소리)
밭	전
부수 田(밭 전)	
총 5획	

한자 어휘
① 전답(田畓)
② 수전(水田)
③ 전원(田園)
④ 염전(鹽田)
⑤ 유전(油田)
⑥ 탄전(炭田)
⑦ 화전(火田)

*밭의 모양.

田 밭 전 田 밭 전 田 밭 전 田 밭 전 田 밭 전

田 밭 전 田 밭 전 田 밭 전 田 밭 전 田 밭 전

田 田 田 田

전	답	수	전	전	원	염	전	유	전
	畓	水			園	鹽		油	

*전답(田畓) 논과 밭을 아울러 이르는 말.

*수전(水田) 물을 쉽게 댈 수 있는 논.

*전원(田園) 논과 밭이라는 뜻으로, 도시에서 떨어진 시골이나 교외를 이르는 말.

*염전(鹽田) 소금을 만들기 위하여 바닷물을 끌어 들여 논처럼 만든 곳.

*유전(油田) 석유가 나는 곳.

弟	훈(뜻)	음(소리)	한자 어휘
	아우	제	① 형제(兄弟) ② 자제(子弟) ③ 제자(弟子) ④ 사제(師弟) ⑤ 제부(弟夫) ⑥ 처제(妻弟) ⑦ 호형호제 (呼兄呼弟)
	부수 弓(활 궁)		
	총 7획		
아우 제	*끈으로 물건을 묶어놓은 모양. 물건의 순서와 차례가 있다는 뜻. 나중에 '동생'의 뜻이 됨.		

弟	弟	弟	弟	弟
아우 제	아우 제	아우 제	아우 제	아우 제
弟	弟	弟	弟	弟
아우 제	아우 제	아우 제	아우 제	아우 제

弟	弟	弟	弟					

형	제	자	제	제	자	사	제	제	부
兄		子			子	師			夫

*형제(兄弟)	*자제(子弟)	*제자(弟子)	*사제(師弟)	*제부(弟夫)
형과 아우를 아울러 이르는 말.	남을 높여 그의 아들을 이르는 말.	스승으로부터 가르침을 받거나 받은 사람.	스승과 제자를 아울러 이르는 말.	언니가 여동생의 남편을 이르거나 부르는 말.

足	훈(뜻)	음(소리)	한자 어휘
	발	족	① 수족(手足) ② 족구(足球) ③ 실족(失足) ④ 만족(滿足) ⑤ 충족(充足) ⑥ 부족(不足) ⑦ 발족(發足)
	부수 足(발 족)		
	총 7획		
발 족	*무릎 아래 발부분의 모양.		

足	足	足	足	足
발 족	발 족	발 족	발 족	발 족
足	足	足	足	足
발 족	발 족	발 족	발 족	발 족

足	足	足	足					

수	족	실	족	만	족	부	족	발	족
手		失		滿		不		發	

*수족(手足) 손과 발을 아울러 이르는 말.	*실족(失足) 발을 헛디딤.	*만족(滿足) 마음에 흡족함. 모자람이 없이 넉넉함.	*부족(不足) 필요한 양이나 기준에 미치지 못해 충분하지 아니함.	*발족(發足) 어떤 조직체가 새로 만들어져서 일이 시작됨.

主	훈(뜻)	음(소리)	한자 어휘
	주인	주	① 주인(主人) ② 주력(主力) ③ 주요(主要) ④ 주인공(主人公) ⑤ 지주(地主) ⑥ 군주(君主) ⑦ 주장(主將)
	부수 丶(점 주)		
	총 5획		
주인 주	*촛불의 모양. 밤에 등불과 같은 존재는 군주, 주인임을 나타내는 글자.		

主	主	主	主	主
주인 주	주인 주	주인 주	주인 주	주인 주
主	主	主	主	主
주인 주	주인 주	주인 주	주인 주	주인 주

主	主	主	主					

주	인	주	력	주	요	군	주	주	장
	人		力		要	君			將

*주인(主人) 대상이나 물건 따위를 소유한 사람.	*주력(主力) 중심이 되는 힘. 또는 그런 세력.	*주요(主要) 주되고 중요함.	*군주(君主) 세습적으로 나라를 다스리는 최고 지위에 있는 사람.	*주장(主將) 우두머리가 되는 장수. 운동 경기에서, 팀을 대표하는 선수.

中	훈(뜻)	음(소리)	한자 어휘
	가운데	중	① 중심(中心) ② 중앙(中央) ③ 중간(中間) ④ 중립(中立) ⑤ 중지(中止) ⑥ 산중(山中) ⑦ 중학교(中學校)
	부수 丨(뚫을 곤)		
	총 4획		
가운데 중	*가운데를 꿰뚫음(丨).		

中	中	中	中	中
가운데 중	가운데 중	가운데 중	가운데 중	가운데 중
中	中	中	中	中
가운데 중	가운데 중	가운데 중	가운데 중	가운데 중

中	中	中	中					

중	심	중	앙	중	간	중	지	산	중
	心		央		間		止	山	

*중심(中心) 사물의 한가운데.	*중앙(中央) 사방의 중심이 되는 한가운데.	*중간(中間) 두 사물의 사이.	*중지(中止) 하던 일을 중도에서 그만둠.	*산중(山中) 산 속.

車	훈(뜻)	음(소리)	한자 어휘
	수레	차(거)	① 기차(汽車) ② 자동차(自動車) ③ 주차장(駐車場) ④ 차선(車線) ⑤ 정차(停車) ⑥ 마차(馬車) ⑦ 자전거(自轉車)
	부수 車(수레 차, 거)		
	총 7획		
수레 차(거)	*수레의 모양.		

車	車	車	車	車
수레 차(거)	수레 차(거)	수레 차(거)	수레 차(거)	수레 차(거)
車	車	車	車	車
수레 차(거)	수레 차(거)	수레 차(거)	수레 차(거)	수레 차(거)

車	車	車	車					

기	차	자	동	차	마	차	자	전	거
汽		自	動		馬		自	轉	

*기차(汽車) 기관차에 여객차나 화물차를 연결하여 궤도 위를 운행하는 차량.	*자동차(自動車) 원동기를 장치하여 그 동력으로 바퀴를 굴려서 땅위를 움직이도록 만든 차.	*마차(馬車) 말이 끄는 수레.	*자전거(自轉車) 사람이 타고 앉아 두 다리의 힘으로 바퀴를 돌려서 가게 된 탈것.

天	훈(뜻)	음(소리)	한자 어휘
	하늘	천	① 천지(天地) ② 천체(天體) ③ 천상(天上) ④ 천하(天下) ⑤ 중천(中天) ⑥ 천연(天然) ⑦ 천재(天才)
	부수 大(큰 대)		
	총 4획		
하늘 천	*사람이 서 있는 머리 위의 '하늘'이라는 뜻.		

天	天	天	天	天
하늘 천	하늘 천	하늘 천	하늘 천	하늘 천
天	天	天	天	天
하늘 천	하늘 천	하늘 천	하늘 천	하늘 천

天	天	天	天					

천	지	천	상	천	하	중	천	천	재
	地		上		下	中			才

*천지(天地) 하늘과 땅을 아울러 이르는 말.	*천상(天上) 하늘 위.	*천하(天下) 하늘 아래 온 세상.	*중천(中天) 하늘의 한가운데.	*천재(天才) 선천적으로 타고난, 남보다 훨씬 뛰어난 재주.

川	훈(뜻)	음(소리)	한자 어휘
	내	천	① 산천(山川) ② 하천(河川) ③ 대천(大川) ④ 소천(小川) ⑤ 천곡(川谷) ⑥ 춘천(春川) ⑦ 인천(仁川)
	부수 巛(川) (내 천, 개미허리)		
	총 3획		
내 천	*시냇물이 흐르는 모양.		

川	川	川	川	川
내 천	내 천	내 천	내 천	내 천
川	川	川	川	川
내 천	내 천	내 천	내 천	내 천

川	川	川	川					

산	천	하	천	대	천	소	천	춘	천
山		河		大		小		春	

*산천(山川) 산과 내라는 뜻으로, 자연을 이르는 말.	*하천(河川) 강과 시내를 아울러 이르는 말.	*대천(大川) 큰 내.	*소천(小川) 자그마한 내.	*춘천(春川) 강원도 서쪽에 있는 시.

千	훈(뜻)	음(소리)	한자 어휘
	일천	천	① 천만(千萬) ② 천금(千金) ③ 수천(數千) ④ 천군(千軍) ⑤ 천년(千年) ⑥ 삼천리(三千里) ⑦ 천리안(千里眼)
	부수 十(열 십)		
	총 3획		
일천 천	*'일천' 또는 '많다'를 뜻함.		

千	千	千	千	千
일천 천	일천 천	일천 천	일천 천	일천 천
千	千	千	千	千
일천 천	일천 천	일천 천	일천 천	일천 천

千	千	千	千					

천	만	천	금	수	천	천	군	천	년
	萬		金	數			軍		年

*천만(千萬) 만의 천 배가 되는 수.	*천금(千金) 많은 돈이나 비싼 값을 비유적으로 이르는 말.	*수천(數千) 천의 여러 배가 되는 수.	*천군(千軍) 많은 군사.	*천년(千年) 오랜 세월.

七	훈(뜻)	음(소리)	한자 어휘
	일곱	칠	① 육칠(六七) ② 칠팔(七八) ③ 칠십(七十) ④ 칠월(七月) ⑤ 칠순(七旬) ⑥ 칠면조(七面鳥) ⑦ 북두칠성 (北斗七星)
	부수 一(한 일)		
	총 2획		
일곱 칠	*'일곱'을 뜻함.		

七	七	七	七	七
일곱 칠	일곱 칠	일곱 칠	일곱 칠	일곱 칠
七	七	七	七	七
일곱 칠	일곱 칠	일곱 칠	일곱 칠	일곱 칠

七	七	七	七					

육	칠	칠	팔	칠	십	칠	월	칠	순
六			八		十		月		旬

*육칠(六七) 그 수량이 여섯이나 일곱임을 나타내는 말.	*칠팔(七八) 그 수량이 일곱이나 여덟임을 나타내는 말.	*칠십(七十) 십의 일곱 배가 되는 수.	*칠월(七月) 한 해의 열두 달 가운데 일곱째 달.	*칠순(七旬) 일흔 살.

太

훈(뜻)	음(소리)
클	태
부수 大(큰 대)	
총 4획	

한자 어휘

① 태고(太古)
② 태초(太初)
③ 태평(太平)
④ 태양(太陽)
⑤ 태반(太半)
⑥ 태평양(太平洋)
⑦ 태극기(太極旗)

클 태

*큰 대(大)에 점을 찍어 '아주 크다'라는 뜻.

太 太 太 太 太

클태 클태 클태 클태 클태

太 太 太 太 太

클태 클태 클태 클태 클태

太 太 太 太

태고	태초	태평	태양	태반
古	初	平	陽	半
*태고(太古) 아득한 옛날.	*태초(太初) 하늘과 땅이 생겨난 맨 처음.	*태평(太平) 나라가 안정되어 아무 걱정 없고 평안함.	*태양(太陽) 태양계의 중심이 되는 항성.	*태반(太半) 반수 이상.

土	훈(뜻)	음(소리)	한자 어휘
	흙	토	① 토지(土地) ② 국토(國土) ③ 영토(領土) ④ 농토(農土) ⑤ 토양(土壤) ⑥ 토목(土木) ⑦ 토성(土城)
	부수 土(흙 토)		
	총 3획		
흙 토	*땅에서 싹이 돋아나는 모양.		

土	土	土	土	土
흙 토	흙 토	흙 토	흙 토	흙 토
土	土	土	土	土
흙 토	흙 토	흙 토	흙 토	흙 토

土	土	土	土					

토	지	국	토	영	토	농	토	토	성
	地	國		領		農			城

*토지(土地) 경지나 주거지 따위의 사람의 생활과 활동에 이용하는 땅.	*국토(國土) 나라의 땅. 한 나라의 통치권이 미치는 지역을 이른다.	*영토(領土) 국제법에서, 국가의 통치권이 미치는 구역.	*농토(農土) 농사짓는 땅.	*토성(土城) 흙으로 쌓아 올린 성루.

八	훈(뜻)	음(소리)	한자 어휘
	여덟	팔	① 팔구(八九) ② 팔월(八月) ③ 팔십(八十) ④ 팔도(八道) ⑤ 팔자(八字) ⑥ 팔방(八方) ⑦ 십중팔구 (十中八九)
	부수 八(여덟 팔)		
	총 2획		
여덟 팔	*사물이 둘로 나누어진 모양. 양 손의 네 손가락을 편 모양.		

八	八	八	八	八
여덟 팔	여덟 팔	여덟 팔	여덟 팔	여덟 팔
八	八	八	八	八
여덟 팔	여덟 팔	여덟 팔	여덟 팔	여덟 팔

八 八 八 八

팔	구	팔	월	팔	십	팔	도	팔	자
	九		月		十		道		字

*팔구(八九)	*팔월(八月)	*팔십(八十)	*팔도(八道)	*팔자(八字)
그 수량이 여덟이나 아홉임을 나타내는 말.	한 해 열두 달 가운데 여덟째 달.	십의 여덟 배가 되는 수.	조선 시대에, 전국을 여덟 개로 나눈 행정 구역.	사람의 한평생의 운수.

風	훈(뜻)	음(소리)	한자 어휘
	바람	풍	① 풍력(風力) ② 강풍(强風) ③ 풍랑(風浪) ④ 폭풍우(暴風雨) ⑤ 풍경(風景) ⑥ 열풍(熱風) ⑦ 학풍(學風)
	부수 風(바람 풍)		
	총 9획		
바람 풍	*'虫(벌레 충)'과 '凡(무릇 범)'의 음을 합하여 만든 글자.		

風	風	風	風	風
바람 풍	바람 풍	바람 풍	바람 풍	바람 풍
風	風	風	風	風
바람 풍	바람 풍	바람 풍	바람 풍	바람 풍

風	風	風	風					

풍	력	강	풍	풍	경	열	풍	학	풍
	力	强			景	熱		學	

*풍력(風力) 바람의 세기.	*강풍(强風) 세게 부는 바람.	*풍경(風景) 산이나 들, 강, 바다 따위의 자연이나 지역의 모습.	*열풍(熱風) 매우 세차게 일어나는 기운이나 기세를 비유적으로 이르는 말.	*학풍(學風) 학문에서의 태도나 경향.

下	훈(뜻)	음(소리)	한자 어휘
	아래	하	① 상하(上下) ② 천하(天下) ③ 지하(地下) ④ 하류(下流) ⑤ 신하(臣下) ⑥ 하체(下體) ⑦ 인하(引下)
	부수 一(한 일)		
	총 3획		
아래 하	*'아래'의 뜻.		

下	下	下	下	下
아래 하	아래 하	아래 하	아래 하	아래 하
下	下	下	下	下
아래 하	아래 하	아래 하	아래 하	아래 하

下	下	下	下					

상	하	천	하	지	하	하	류	인	하
上		天		地			流	引	
*상하(上下) 위와 아래를 아울러 이르는 말.		*천하(天下) 하늘 아래 온 세상.		*지하(地下) 땅속이나 땅속을 파고 만든 구조물의 공간.		*하류(下流) 강이나 내의 아래쪽 부분.		*인하(引下) 가격 따위를 낮춤.	

兄	훈(뜻)	음(소리)	한자 어휘
	맏	형	① 형제(兄弟) ② 친형(親兄) ③ 형부(兄夫) ④ 형수(兄嫂) ⑤ 자형(姊兄) ⑥ 사촌형(四寸兄) ⑦ 난형난제(難兄難弟)
	부수 儿(어진사람 인)		
	총 5획		
맏 형	*사람(儿)이 입(口)으로 말하는 모습. '맏이'의 뜻.		

兄	兄	兄	兄	兄
맏 형	맏 형	맏 형	맏 형	맏 형
兄	兄	兄	兄	兄
맏 형	맏 형	맏 형	맏 형	맏 형

兄 兄 兄 兄

형	제	친	형	형	부	난	형	난	제
	弟	親			夫	難		難	弟

*형제(兄弟)	*친형(親兄)	*형부(兄夫)	*난형난제(難兄難弟)
형과 아우를 아울러 이르는 말.	같은 부모에게서 난 형.	언니의 남편을 이르거나 부르는 말.	누구를 형이라 하고 누구를 아우라 하기 어렵다는 뜻으로, 두 사물이 비슷하여 낫고 못함을 정하기 어려움을 이르는 말.

火	훈(뜻)	음(소리)	한자 어휘
	불	화	① 화산(火山) ② 화력(火力) ③ 화재(火災) ④ 화상(火傷) ⑤ 소화기(消火器) ⑥ 화성(火星) ⑦ 화요일(火曜日)
	부수 火(불 화)		
	총 4획		
불 화	*불꽃의 모양.		

火	火	火	火	火
불 화	불 화	불 화	불 화	불 화
火	火	火	火	火
불 화	불 화	불 화	불 화	불 화

火	火	火	火					

화	산	화	력	화	재	화	상	화	성
	山		力		災		傷		星

*화산(火山) 땅속에 있는 가스, 마그마 따위가 지각의 터진 틈을 통하여 지표로 분출하는 지점.	*화력(火力) 불이 탈 때에 내는 열의 힘.	*화재(火災) 불이 나는 재앙. 또는 불로 인한 재난.	*화상(火傷) 높은 온도의 기체, 액체, 고체, 화염 따위에 데었을 때에 일어나는 피부의 손상.	*화성(火星) 태양에서 넷째로 가까운 행성.

부수 214 字

1획	匕 비수 비	小 작을 소	戶 지게 호	水(氵, 氺) 물 수, 삼수변
一 한 일	匚 상자 방, 터진 입구	尢(兀) 절름발이 왕	手(扌) 손 수, 재방변	火(灬) 불 화
丨 뚫을 곤	匸 감출 혜, 터진에운담	尸 주검 시	支 지탱할 지	爪(爫) 손톱 조
丶 점 주	十 열 십	屮 싹날 철	攴(攵) 칠 복, 등글월문방	父 아버지 부
丿 삐침 별, 삐침	卜 점 복	山 뫼 산	文 글월 문	爻 점괘 효
乙 새 을	卩(㔾) 병부 절	巛(川) 내 천, 개미허리	斗 말 두	爿 조각 장, 장수장변
亅 갈고리 궐	厂 언덕 한, 민엄호	工 장인 공	斤 도끼 근, 날 근	片 조각 편
2획	厶 사사로울 사, 마늘모	己 몸 기	方 모 방	牙 어금니 아
二 두 이	又 또 우	巾 수건 건	无(旡) 없을 무, 이미기방	牛(牜) 소 우
亠 두, 돼지해 머리	3획	干 방패 간	日 날 일	犬(犭) 개 견
人(亻) 사람 인	口 입 구	幺 작을 요	曰 가로 왈	5획
儿 어진사람 인	囗 큰 입 구, 에울 위, 나라 국	广 집 엄, 엄호	月 달 월	玄 검을 현
入 들 입	土 흙 토	廴 길게 걸을 인, 민책받침	木 나무 목	玉(王) 구슬 옥
八 여덟 팔	士 선비 사	廾 들 공, 밑스물입	欠 하품 흠	瓜 오이 과
冂 멀 경	夂 뒤져올 치	弋 주살 익	止 그칠 지	瓦 기와 와
冖 덮을 멱, 민갓머리	夊 천천히 걸을 쇠	弓 활 궁	歹(歺) 뼈 앙상할 알, 죽을사변	甘 달 감
冫 얼음 빙, 이수변	夕 저녁 석	彐(彑) 돼지머리 계, 터진 가로왈	殳 칠 수, 창 수 갖은 등글월 문	生 날 생
几 안석 궤	大 큰 대	彡 터럭 삼	毋 말 무	用 쓸 용
凵 입벌릴 감, 위터진입구	女 여자 녀	彳 조금 걸을 척, 두인변, 중인변	比 견줄 비	田 밭 전
刀(刂) 칼 도	子 아들 자	4획	毛 터럭 모	疋 필 필, 발 소
力 힘 력	宀 집 면, 갓머리	心(忄, 㣺) 마음 심	氏 성씨 씨, 각시 씨	疒 병들 녁, 병질 엄, 병질밑
勹 쌀 포	寸 마디 촌	戈 창 과	气 기운 기	癶 필발머리, 필발밑, 걸을 발

부수 214 字

5획	而 말이을 이	見 볼 견	長(镸) 길 장	骨 뼈 골
白 흰 백	耒 쟁기 뢰	角 뿔 각	門 문 문	高 높을 고
皮 가죽 피	耳 귀 이	言 말씀 언	阜(阝) 언덕 부, 좌부변	髟 머리털 늘어질 표, 터럭발밑
皿 그릇 명	聿 붓 율	谷 골 곡	隶 미칠 이	鬥 싸움 두, 싸울 투, 싸울 각
目 눈 목	肉(月) 고기육, 육달월 변	豆 콩 두	隹 새 추	鬯 술 창
矛 창 모	臣 신하 신	豕 돼지 시	雨 비 우	鬲 솥 력, 막을 격
矢 화살 시	自 스스로 자	豸 발 없는 벌레 치, 갖은돼지시 변	青 푸를 청	鬼 귀신 귀
石 돌 석	至 이를 지	貝 조개 패	非 아닐 비	11획
示(礻) 보일 시	臼 절구 구	赤 붉을 적	9획	魚 물고기어
禸 짐승발자국 유	舌 혀 설	走 달아날 주	面 낯 면	鳥 새 조
禾 벼 화	舛 어그러질 천	足 발 족	革 가죽 혁	鹵 소금밭 로
穴 구멍 혈	舟 배 주	身 몸 신	韋 가죽 위	鹿 사슴 록
立 설 립	艮 그칠 간, 머무를 간, 간괘 간	車 수레 차, 거	韭 부추 구	麥 보리 맥
6획	色 빛 색	辛 매울 신	音 소리 음	麻 삼 마
竹 대 죽	艸(艹) 풀 초, 초두, 풀초머리	辰 별 진	頁 머리 혈	12획
米 쌀 미	虍 범 호, 범의문채 호	辵(辶) 쉬엄쉬엄 갈 착, 책받침	風 바람 풍	黃 누를 황
糸 실 사	虫 벌레 충	邑(阝) 고을 읍, 우부방	飛 날 비	黍 기장 서
缶 장군 부	血 피 혈	酉 닭 유	食 밥 식	黑 검을 흑
网(罒, ⺳, 罓) 그물 망	行 다닐 행	釆 분별할 변	首 머리 수	黹 바느질 치
羊 양 양	衣(衤) 옷 의	里 마을 리	香 향기 향	13획
羽 깃 우	襾 덮을 아	8획	10획	黽 맹꽁이 맹, 힘쓸 민
老(耂) 늙을 로	7획	金 쇠 금	馬 말 마	鼎 솥 정

부수 214 字

鼓 북 고				
鼠 쥐 서				
14획				
鼻 코 비				
齊 가지런할 제				
15획				
齒 이 치				
16획				
龍 용 룡				
龜 거북 귀, 틀 균				
17획				
龠 피리 약				

〈부록〉

見	光
古	交
高	口
工	九
果	今

빛 광	볼 견
사귈 교	예 고
입 구	높을 고
아홉 구	장인 공
이제 금	실과 과

〈부록〉

金	女
己	年
南	大
男	東
內	力

여자 녀	쇠 금
해 년	몸 기
큰 대	남녘 남
동녘 동	사내 남
힘 력	안 내

令	萬
老	面
六	名
立	母
馬	毛

일만 만	명령 령
낮 면	늙을 로
이름 명	여섯 륙
어미 모	설 립
털 모	말 마

木	民
目	方
無	白
文	本
門	夫

백성 민	나무 목
모 방	눈 목
흰 백	없을 무
근본 본	글월 문
사내 부	문 문

〈부록〉

父	三
北	上
不	生
四	西
山	石

〈부록〉

석 삼	아비 부
위 상	북녘 북
날 생	아니 불
서녘 서	넉 사
돌 석	뫼 산

〈부록〉

夕	示
小	身
水	心
手	十
市	兒

〈부록〉

보일 시	저녁 석
몸 신	작을 소
마음 심	물 수
열 십	손 수
아이 아	저자 시

〈부록〉

羊	玉
魚	王
言	外
五	雨
午	牛

구슬 옥	양 양
임금 왕	물고기 어
바깥 외	말씀 언
비 우	다섯 오
소 우	낮 오

元	衣
月	二
有	人
由	一
肉	日

옷 의	으뜸 원
두 이	달 월
사람 인	있을 유
한 일	말미암을 유
날 일	고기 육

子	足
自	主
長	中
田	車
弟	天

발 족	아들 자
주인 주	스스로 자
가운데 중	길 장
수레 차	밭 전
하늘 천	아우 제

〈부록〉

川	八
千	風
七	下
太	兄
士	火

여덟 팔	내 천
바람 풍	일천 천
아래 하	일곱 칠
맏 형	클 태
불 화	흙 토